Gabriele Wohmann
Einsamkeit

Gabriele Wohmann
Einsamkeit
Erzählungen

Luchterhand

© 1982 by Hermann Luchterhand Verlag
GmbH & Co KG, Darmstadt und Neuwied
Lektorat: Klaus Siblewski
Umschlaggestaltung: Kalle Giese
Herstellung: Martin Faust
Gesamtherstellung bei der
Druck- und Verlags-Gesellschaft mbH, Darmstadt
ISBN 3-472-86550-4

Das mittlere Elend

Oh danke, vielen Dank, das war wirklich sehr lieb von Ihnen, sagte Frau Bernheim rufend und sie spürte, daß sie dabei ein so herzlich gerührtes Gesicht machte, als handle es sich um einen Besuch, um Augenschein für ihre ehemalige Nachbarin in der Buchsbaumstraße, und nicht um ein Telefonat.

Eifrig und ohne jedes Gestotter – worauf Frau Bernheim ein wenig neidisch war, sie selber verhaspelte sich so oft, ganz besonders beim Telefonieren – redete diese ungefähr gleichaltrige Frau von früher weiter auf sie ein. Lauter Beteuerungen. Wenn man die ganz wörtlich nahm, dann mußte die Sprecherin geradezu überbeansprucht sein von den Leiden daran, daß es immer wieder doch nicht zu einem schönen, richtig gemütlichen Zusammensein mit Frau Bernheim kam. Nun schon seit Monaten. Und auf absehbare Zeit sah es nicht rosiger aus, was das betraf. Frau Bernheim verstand nicht jedes Wort. Ob sie nicht eines Tages wirklich in aller Deutlichkeit zugeben sollte, daß sie sehr schwerhörig war? Warum nur bereitete ihr ein solches, doch einfaches Eingeständnis derartige Schwierigkeiten?

Wieder war sie dran, wiederum mit einer Dankbarkeitsäußerung. In ihr heißes Gesicht war das schrecklich liebe Lächeln wie eingraviert. Sie versuchte, die Muskeln zu entspannen. Etwas wäre schon damit gewonnen, mit einem kaltblütigen Ausdruck, doch. Gewiß behielt die Inhaberin der geschickt durch längere Satzkonstruktionen eilenden Stimme ihr übliches Gesicht bei. Altersgenossinnen von Frau Bernheim hatten überhaupt keine Probleme mit den Offenbarungen ihrer da und dort nachlassenden Körperfunktionen. Immer mehr DIESES UND JENES UND NUN AUCH NOCH DAS konnten sie nicht mehr, nicht mehr so gut lesen, nicht mehr Fensterputzen, im Garten arbeiten, sie waren nicht mehr so gut zu Fuß, und natürlich hörten sie schlechter, alle miteinander.

MEIN MANN/MEIN MANN/MEIN MANN: das drang schließlich wie eine besondere Botschaft aus dem allgemeinen und wortreichen Mitteilungsüberfluß, da an ihrem längst zu heißen und schon ein bißchen schmerzenden Ohr. So alt wie der Mann der ehemaligen Nachbarin wäre jetzt auch Herr Bernheim. Aber er, das dachte Frau Bernheim im schon gewohnten Reflex auf sämtliche überlebenden Ehemänner ihres Bekanntenkreises, er hat sich auf die diskreteste, die vorzüglich vornehme Art von der Welt verabschiedet, nämlich vor allen so richtig demütigenden und dann auch unästhetischen Kontrollverlusten, Untüchtigkeiten, Zersetzungsprozessen. Er war einfach immer stiller und stiller geworden, immer schwächer, so vor sich hin, und an sein Seufzen zu denken, verbot sie sich. Merkwürdigerweise fielen ihr immer seine ganz weißen Füße ein, wenn sie an den vorletzten und den letzten Herrn Bernheim dachte, er hatte auch in kalten und kühlen Jahreszeiten ungern Schuhe und Strümpfe angezogen und meistens barfuß auf seinem couchartigen Sessel gelegen. Seine Fußzehen erinnerten sie in ihrer Plättchenform an die säuberlichen frischen Neuankömmlinge ihrer Kapuzinerkresse. Diese grünen Schildchen: jedesmal mußte sie an die Fußzehen ihres Mannes denken, jedesmal beim Gießen und Hinschauen, und inzwischen verhielt es sich so, daß die gleichzeitig auftauchenden Abbildungen sich ineinanderschoben und ganz gegen Frau Bernheims Willen wichtigere Eindrücke verdrängten.

gewesen war, die Bernheimsche Ehe. Gute Ehen, verströmten sie nicht einen leisen Modergeruch?

Das hab ich gewußt, über die Pralinés würden Sie sich freuen, sagte die Nachbarin, die jetzt aber dringend mit dem Kofferpacken anfangen mußte, auch war es längst Zeit für den Grapefruitsaft, den ihr Mann pünktlich um elf Uhr dreißig forderte.

Frau Bernheim ärgerte sich über ihre Ungeschicklichkeit, denn während sie noch weiter am Bedanken herumstammelte, mit dem unaustilgbaren Inständigkeitslächeln im Gesicht, legte sie aus Versehen zu früh auf vorm zweiten und endgültigen Verabschieden. Wie dumm sie nun auch damit wieder vor der professionelleren Partnerin dastand! Wie sehr ihre knechtisch dankbare Hastigkeit den infiziösen, beinah ja abstoßend trüben Witwenstand samt antiquierter Eheliebe wahrscheinlich beglaubigte: nur jemand gutartig Törichtes wie sie konnte vom Tod übertölpelt werden, jemand mit solcher Lebensungeschicklichkeit.

Und in den neuen, ja: immer noch neuen Vorort paßte sie auch nicht. Bei gleichzeitiger und regelmäßiger Mißgunst gegenüber der alten Buchsbaumstraßen-Gegend. Dahin zog es sie wahrhaftig nicht zurück. Und sie war Herrn Bernheim gern gefolgt, als er, im Ruhestand allzu empfindlich gestört von den allzu veränderten Gebräuchen, die sein junger Nachfolger als Leiter der P. O. Casswein-Stiftung einführte, wegstrebte, nur weg, und zwar am besten in die Anonymität einer Neubausiedlung, wo es niemanden Alteingesessenen gab, keinen mit Stammrechten und unumstößlichen Gepflogenheiten. Erst zusammen mit dem Alleinsein hatte es sich für Frau Bernheim als Nachteil herausgestellt, daß sämtliche neuen Nachbarn um zwei Generationen jünger waren als sie, und daß sie einer anderen Bildungsschicht angehörten, erwähnte sie nicht mehr, weil ihre modernen Kinder mit so komisch verschlossenen Gesichtern so einsilbig und etwas streng geworden waren.

Jetzt wurde der Tag eindeutig zum sonnigen Tag. Das bedeutete: Lärm von spielenden Kindern, halbnackte junge Hausfrauen am späteren Nachmittag in den Gärten. Frau Bernheim fand sie alle miteinander in Kleidern schöner, aber sie gab sich Mühe, nicht Anstoß zu nehmen. Anstoßnehmen: das traf es auch gar nicht richtig. Sie bekam nur manchmal so ein Sommernachmittagsheimweh, und dieses Heimweh meinte einen vermutlich idealisierten, tiefgrün wuchernden Garten mit den in blassen Blumenfarben hin und her zuckenden Sommerkleidern aus einer tief versteckten Zeit: Kindheit? Jugend? Ein Mittagsschlaftraum? Und sie sehnte sich nach Abbildungen in der Gegenwart, die diesen Garten ein wenig heraufzubeschwören helfen würden. Nach ruhevollem Anschauen, vor den Verwahrlosungen.

Sie lenkte sich gut ab: beim Abstauben, beim Einrichten der Waschmaschine, und auf den Tag mit dem Bügeln freute sie sich gewohnheitsmäßig. Ihre Kinder hatten schon recht, wenn sie sich untereinander lobend über ihre gute gefestigte Mutter verständigten, und sicher stimmte es ja: über sie konnte aufgeatmet werden, sie mußte es ja hinter sich gebracht haben, das Allerschwerste, das Allerschlimmste, die erste Witwenzeit nun eben. Wem nur könnte sie eigentlich anvertrauen, daß sie sich manchmal in diese erste Witwenzeit künstlich zurückzubringen versuchte, fast immer vergeblich, nur selten, dann bei Musikbegleitung aus dem Radio, erfolgreich. Es gab diese günstigen Momente, wenn, zusammen mit einem Mozart-Andante ihre Schlaftablette zu wirken anfing: das waren gläubige, triftige Momente, frohgemut vor Trauer, und in

ihnen spürte sie ihre und Herrn Bernheims unbegrenzte
Bedeutung. Ihr Leben, sein Sterben waren im Kosmos
unentbehrlich. Sie bildeten zwei Maschen oder Knötchen
im Sinn-Gewebe, auf die nicht verzichtet werden konnte.
Bei erschlaffendem Körper stärkte und stärkte sich die
Seele. Frau Bernheim kam nicht dahinter, wieso es, bei den
gleichen Zutaten – vom selben Komponisten und vom
selben Pharmahersteller – nur so selten zum gleichen
Ergebnis kam und ganz unberechenbar blieb.
Schwieriger waren ja die Tage ohne den großen Schmerz.
Und das konnte sie eigentlich keinem sagen. Heutzutage
handelten die Briefe ihrer Kinder vom da und dort be-
triebsamen Alltag. Nur an den paar Gedenktagen, die
ihren wie aus purer Väterlichkeit diskret entschwundenen
Vater wieder als einen lieben und zu verehrenden Schatten
in die Gegenwart schoben, bemühten sie sich noch sehr
mit bekümmerten Schlußformulierungen, sie schrieben ein
Gedicht ab oder klebten ein Blümchen zwischen Datum
und zärtliche Anrede. Als jetzt der Briefträger klingelte,
gab Frau Bernheim sich den üblichen Ruck und sah nicht
sofort nach der Post. Sie wandte durchaus wichtige kleine
Tricks an, um ihren Tageslauf spannender zu machen. Sie
war auch stets gewappnet gegen den Anblick von nur einer
Drucksache, beispielsweise. Ihr kam jetzt ein sehr guter
Einfall. Wann hatte sie sich das letzte Mal so elementar
widerwärtig gefühlt? Als sie furchtbar erkältet gewesen
und wie dispensiert von allem zu Tuenden und zu Empfin-
denden gewesen war. Ziemlich lang her. Sie hatte gewußt,
woran gelitten werden mußte.
Sie war dem Naturell nach eine vernünftige Person, aber
genau das sah sie plötzlich überhaupt nicht mehr ein. Fast
vergnügt vor Eifer öffnete sie die Fenster im Wohnzimmer
und die von Küche und Entrée: so schuf sie ausreichend

Zugluft, gegen die sie anfällig war. Bevor sie sich auf den gut plazierten Küchenstuhl setzte, wagte sie sich an die Post: belohnte Geduld! Drei der vier Kinder hatten geschrieben. Zuerst las Frau Bernheim die Ansichtskarte ihres ältesten Sohns. ». . . und zum 15. Juli soll unser Gruß doch auf alle Fälle rechtzeitig eintreffen, damit du weißt, wie sehr wir gerade an diesem Tag an dich und an den Vater denken: der Gärtner ist angewiesen, wie in jedem Jahr einen neuen Begonientopf aufs Grab zu stellen.«
Frau Bernheim las nicht weiter. Sie war erschrocken, sie ging zum Familienbilderkalender, der ihrem zugigen Sitzplatz am nächsten war. Der 15. Juli hatte natürlich sein schwarzes Merkzeichen, aber kein Kreuz, das wäre ihr irgendwie peinlich und auch als katholisch oder einfach bigott erschienen. Und Dienstag, war denn heute nicht Dienstag? Natürlich, gestern war ja Montag gewesen, ohne jeden Zweifel. Sie hatte diesen Tag vom Aufwachen an schon verpaßt. Hatte ihn vergeudet für kleine Gefühle, für das schreckliche, das mittlere Elend. Sie hatte sich eine Gelegenheit zum Wichtigen entgehen lassen! Und auch noch versucht, eingeladen zu werden. Jämmerlich sklavenhaft am Telefon sich verstottert. An einem 15. Juli, wo sie in der großen und schwer angeschlagenen Gemeinschaft der übrigen gratwandernden und aufs äußerste von Not betroffenen Menschheit hätte mithalten können, zwischen Leben und Tod, in Himmelsnähe! Sanft aufgehoben im ungewöhnlichen Schrecken. Sie aber war irrtümlich bei den Leuten mit unartikulierter Elendigkeit geblieben, in wie für immer und ewig schlecht tapezierten Zimmerwänden mit Ausblick auf trübe Hausschächte. Ob sie sich womöglich schon erkältet hatte?

Ach: Männer!

Eigentlich war für jemanden mit chronischer Sinusitis eine Kränkung etwas Willkommenes, eine schleimlösende Angelegenheit, und so plante Edna jetzt schon, sich in circa zwei Stunden, wenn es Nacht war, zum Weinen im Bett aufzusetzen. Es tat ihrem Gewissen auch stets gut, wenn sie die Zeile »So wie auch wir vergeben unsern Schuldigern« mit Sinn und Personennamen füllen konnte. Sie würde Bernie vergeben, und dies Gütevolle vorauszuwissen, machte sie vor der Zeit eine Spur zu weich. Was Bernie nun mal leider nicht hatte, das war Stilgefühl. Man sagt seiner Frau nicht, sie müsse was gegen Akne tun – als ob das Akne wäre, bei ihr, es war die winzige, nicht unliebenswerte Menstruationsröte, kleine Botschaft rings um ihre Jochbögen, ach: Männer! Nein, das sagte man nicht, erstens überhaupt nicht, und zweitens nicht in einem derartigen Moment.

Edna bereute nun schon wieder diesen zärtlichen Schub, durch den sie sich vorhin auf Bernies Schoß gesetzt hatte. Schön blöd. Was wäre mit dem Satz: Schön blöd, daß wir's nicht wie Gisela und Stephan gemacht haben und einfach so ohne Ehe und alles zusammengeblieben sind?

Nun, es war geschehen. Und mit dem allerdings gut bösen Satz vermasselte sie sich die Nachttränen, das wohltätige Naseputzen, die geringere Entfernung zu Gott – also Verzichten.

Während sie nun in ihrer Kochnische hantierte – heut abend kam die ihr plötzlich eigentlich armselig vor, knikkerig – rutschte wieder Flüssigkeit verfrüht über ihre Unterlider, denn ihr Vater war ihr eingefallen. Oh wie mußte ein Vater leiden um so eine kleine, zarte, zu kränkende Edna-Tochter, ausgeliefert an irgendsoeinen Burschen im nicht ganz sauberen, zu weit gestrickten Pullover. Um wen sie nun in Wahrheit ihre paar voreiligen Tränen vergoß, um sich selber, um den Vater, um sich in den Augen des Vaters, war kaum noch zu klären. Schon jetzt wurde die Nase immer freier. Eigentlich fast nicht mehr nötig, die Abendzeremonie abzuwarten, und war er's denn wert, der allzu unbedarfte Bernie, daß man um seinetwillen bis in die Nacht hinein das Gekränktsein aufhob, wäre denn überhaupt irgendeine Klugheit darin zu erblicken, diese auch erzieherische Chance nicht zu ergreifen? Er bliebe so taktlos, so ahnungslos, lebenslänglich seiner Frau gegenüber, und das war sie ja nun mal, SEINE FRAU, seit drei Wochen schon, und sie beabsichtigte durchaus, darauf doch wieder stolz zu werden. Edna hatte nie was übrig gehabt für diese Frauen aus einer anderen Generation, die in die ewige Dulderpositur hineingeschrumpft waren. Es gibt mehr her, wenn deutlich reagiert wird, sagte sie sich. Überhaupt, er redete viel zu wenig mit ihr und nie unaufgefordert.

Sie briet seine Frikadellen ohne besondere Liebe, auch das ganz vorsätzlich, mit voller Absicht. Bei Tisch fand sie nicht besonders gut an ihm, daß er nie mitbekam, wenn Bierschaum oder Essensreste in seinem Bart verfangen blieben. Ach mein armer Vater, wie muß er um seine arme süße kleine Edna sich bangen und quälen, allein schon bei der Vorstellung, dies bärtige Gesicht falle her über die sanfte vererbte Haut!

Edna wollte im nächsten Brief an die Eltern durchklingen lassen, daß Bernie und sie nur noch wie Geschwister miteinander lebten. Liebeslügen! Ah ja, alle Liebe, deren sie fähig war – und es war viel, so viel! – wollte sie fortan zurückwenden, zurück ins Familiennest, und weg von diesem Fremdling da, der – im Vertraulichkeitsmoment! – leichtes weibliches Beschädigtsein mit Akne verwechselte!

Du hast mehrere Krümel im Bart, sagte sie jetzt. Ihren Gesichtsausdruck dachte sie sich kaltblütig.

Danke, sagte Bernie.

Nur nicht gerührt werden über seine babyartig geformte Faust, das gefügige Wegwischen!

Ich wußte gar nicht, daß du wieder mit mir redest.

Warum sollte ich nicht?

Edna bebte im Innern, besetzt vom sportlichen Drang, durchzuhalten. Ich dachte drüber nach, wie altmodisch es doch war, geheiratet zu haben, sagte sie.

Genau, sagte Bernie.

Blöd, oder wie? fragte Edna.

Noch nicht bereut, sagte Bernie.

»Hänsel und Gretel/Verirrten sich im Wald,« sang Edna später beim Geschirrspülen ganz plötzlich. Da wußte sie, daß es für heute nichts mehr wäre mit Tränen und Schuldigern und Vergeben.

So lange es Menschen gibt
(Für Thomas Scheuffelen)

Nicht mehr lang und sie brauchte das Lampenlicht für ihre Handarbeit. Frau Schober dachte, daß sie ja nun bald kommen müßten. Der Regen wurde stärker. Aus dem gleichmäßigen Geräusch sonderten sich einzelne spitze, scharfe, splitterhafte Klopftöne. Jemand Schreckhafteres als sie könnte sich wirklich gruseln. Das war ein kurzer Hagelschauer, wie gestern um die gleiche Zeit, immer der Spätnachmittag hatte es in sich, fand Frau Schober, die aber Ruhe bewahren wollte und wieder den Gedanken an Miriam und ihren Freund zu Hilfe nahm. Als würde jemand Steinchen gegen ihre Fensterscheibe werfen, so hörte sich das an. Dann kam ein Westwind auf, und nun klatschte der Regen gegen die ganze Verandafront.
Ein wenig schade wäre es um die Veranda. Falls sie das Wohnzimmer auch opfern müßte. Frau Schober machte sich einen stillen raschen Vorwurf. Natürlich würde sie das Wohnzimmer samt Veranda abgeben. Das kleine ehemalige Gastzimmer genügte ja vollkommen, vorausgesetzt, man richtete es vernünftig ein, sinnvoll. Die wichtigsten Bilder könnte sie aufhängen, die Möbel, von denen sie nur ungern Abschied nehmen würde, wären dort gut unterzubringen. Wenn man ehrlich war, bedurfte man der meisten Gegenstände gar nicht mehr. Nur ausgerechnet diese Ehrlichkeit mußten die andern, diese verwaisten Alten – zu denen sie dank Miriam nicht mehr gehörte – sich streng verbieten. Frau Schober spürte da ein geheimes schlaues kleines Rezept, nach dem auch sie sich gerichtet hatte, bevor Miriam aufgetaucht war. Die Zutaten An-

hänglichkeit, Anklammerung an altgewohnte Sachen, eigentlich ja wohl nichts Besseres als Besitzlust, ergaben diese vitalstoffreiche Kost, durch die gelebt werden konnte. Aber einem trüben Aufrechterhalten, mehr war das doch wohl nicht, wollte sie nun leichten Herzens abschwören.

Sie merkte, daß es dunkel geworden war. Miriam und der junge Bursche, sie würden völlig durchnäßt sein. Wo blieben sie nur so lang. Miriam hatte doch versprochen, einen Kakao zu machen, die gebackenen Hörnchen stellte Frau Schober, und alles wäre fast einem Abend von früher ähnlich, einem richtigen Freitagabend mit Familie. Sogar DAME und MÜHLE, das altmodische Brett mit seinen beiden unterschiedlich bemalten Seiten, würde wieder bespielt werden. Immerhin hatte Miriam sich sehr daran interessiert gezeigt und das Brett im dunkelbraunen Holzkasten mit den noch vollständigen Spielwürfeln und den Figuren und Steinchen vorerst einmal an sich genommen. Wozu eigentlich? Frau Schober nahm sich einen Augenblick lang ihr neuerdings manchmal – kurzen Herzstichen ähnlich – aufzuckendes Mißtrauen sofort wieder übel. Aber es hämmerte noch ein Weilchen weiter in ihrem Innern. Paßte sich dann dem regelmäßigen Regengeräusch an und ging in diesen friedenstiftenden Gleichklang ein.

Das sollte ihr nicht mehr passieren, daß sie, wie neulich am Spätnachmittag, die Treppe hinaufstieg – nein: schlich, sie schlich sich ja durch ihr eigenes Haus wie ein Dieb, wie töricht, wie verächtlich aber auch – und in der oberen Etage die nun von Miriam besetzten Zimmer zu überprüfen anfing. Damals war sie auf der Suche nach ihrem silbernen Queen-Anne-Teekännchen gewesen. Sie hatte es im hübsch in ein Studio verwandelten ehemaligen Bügelzimmer gefunden, übrigens schön blank geputzt und geschmackvoll zur Gruppe mit der kleinen kobaltblauen Kredenz und dem Teller ANDENKEN arrangiert. Diese beiden anderen Besitztümer hatte sie überhaupt nicht vermißt und zufällig, jetzt eben bei der Fahndung nach dem Teekännchen, gefunden. Das bewies doch, wie überflüssig vieles war, woran man sich, erinnerungshabselig, klammerte. Sich einredete, ein Verlust wäre schwer zu verwinden.

Allerdings verstand Frau Schober die Leiden der Altersgenossen gut, die sich von ihren Lebensutensilien verabschieden mußten, weil sie in ein Altersheim übersiedelten. Ihr ging es ja hundertmal besser. Ihre kleinen und größeren Schätze wechselten nur das Stockwerk, jeweils. Oder doch auch den Besitzer, ein wenig? Nun, sie täte gut daran, Miriam als eine von diesen Verwandten aufzufassen, die spät plötzlich in einer Biographie – gegen das Ende dieser Biographie zu – auf der Bildfläche erschienen, heiter und jung und zu Übernahmen bereit, unerwartete angeheiratete Nichten, verschwägert-verschwistert und fast verschollen, von jenseits des Ozeans, zum Antritt eines Erbes bereit, so ähnlich. Frau Schober kannte solche Ersatztöchter aus Romanen und Filmen.

Sollte sie nun die Hörnchen in die Backröhre schieben? Sie brauchten, wenn sie jetzt schon mit den Vorbereitungen anfing, immer noch gut zwanzig Minuten, bis sie so richtig knusprig wären und so heiß, daß immer sofort jede Messerspitze Butter auf ihnen zerschmolz, ah, sie liebte das! Es fiel einem selber gar nicht auf, wieviel Butter man verbrauchte. Wenn sie jetzt nicht mit den Vorbereitungen Ernst machte, würden sie den Anfang von SO LANGE ES MENSCHEN GIBT verpassen. Miriam hatte versprochen, es mit ihr gemeinsam anzusehen. Ihr Freund würde sich wahrscheinlich währenddessen oben damit beschäftigen, im

Badezimmer eine Essenz gegen Schimmelpilz aufzutragen. Er machte sich nicht so viel aus alten Filmen. Sie hatten wirklich viel Sinn für Schönes, die beiden, sie waren so häuslich, und Frau Schober dachte etwas pauschal, daß junge Leute wie diese zwei heutzutage nicht mehr so leicht zu finden seien. Wie halsstarrig, wie dumm von ihr, sich anfangs gegen Miriams Freund innerlich – und ein bißchen, vorsichtig, auch äußerlich – gesträubt zu haben. Nichts als Eifersucht vermutlich.

Auf einmal, mit dem Blick auf den vanillemilchigen Lichtkegel unterhalb vom Lampenschirm – denn sie brauchte jetzt das Licht, Sparsamkeit hin, Sehschärfe her – und dazu das stetige, ihr wie eine Gesellschaft zugetane Anprallen des Regens bedenkend, auf einmal empfand sie eine Art Stolz auf sich selber: wie gründlich sie doch teilnahm an den Bedingungen für Menschen. An den Gegebenheiten, unter denen gelebt wurde, auf der anderen Seite ihrer Straße auch. Die Erscheinungen nahmen Frau Schober für voll, sie galten für sie mit. Frau Schober wußte es selber nicht im mindesten genauer, aber sie fühlte sich erwachsen in der nun abendlichen Einstellung ÄLTERE FRAU IM LAMPENLICHT. Sie war so in Szene gesetzt. Neulich, beim Anblick des vielen Laubs, das in ihren Garten geweht war – und zwar nachdem Miriam ihr den Wunsch leider leider hatte abschlagen müssen, leider leider könne ihr Freund die Zeit nicht aufbringen, das Laub wegzukratzen – neulich hatte sich ein ähnlicher Stolz, wie Überraschtsein, in ihr entwikkelt: sie nahm ja am Herbst teil. Ihr Garten sah ja, mit all dem Laub, so viel zünftiger, so wirklich aus.

Und schließlich könnte sie gegen gute Bezahlung den jungen Hecker dazu bringen, es wegzuschaffen, das eigentlich schöne Laub. Vermutlich war eben alles doch eine Frage der Einstellung. Und bei jedem aufkommenden

Groll, bei jeder Bitterkeit wollte sie sich des Ur-Augenblicks erinnern und dieses Bild in sich heraufbeschwören: mit der schüchtern-zarten Miriam, die einen kleinen Koffer rechts trug, links über der Schulter ihre rotbraune Ledertasche, die Miriam des ersten, damals frühlingshaften Abends, wie sie da vor der Tür gestanden und dringend ein Zimmer gebraucht hatte. Ob nun die Annonce, auf die sie sich berief, eine Erfindung war oder nicht – Miriam beharrte darauf, also mußte es sich um eine rätselhafte Verwechslung handeln – als entscheidend blieb ja übrig, daß, mit Miriam und ihrem Wunsch nach einem Zimmer für die nächsten 14 Tage, Belebung bis hin zum Glück in Frau Schobers nur noch leer routiniertes, ausgeleiertes Alleinleben gekommen war. Dankbarkeit, die allein schuldete sie der neuen Lage. Inzwischen bewohnte Miriam die ganze obere Etage und seit vier Monaten zusammen mit dem Freund, also war alles in eine weite Entfernung von der ursprünglichen Verabredung gerückt worden: eben durch Zeitverlauf, so ging es wahrscheinlich zwischen Blutsverwandten zu, zumal auch die augenblickliche finanzielle Bedrängnis, in der sich Miriam und erst recht der Freund befanden, zu einem Miet-Stop geführt hatte. Miet-Erlaß brauchte man dies derzeit freie Wohnen noch nicht gleich zu nennen. Sollte etwa Frau Schober daran mitschuldig werden, daß Miriams Freund sein Studium abbrechen mußte? Nein, das wäre zu viel zu negative Verantwortung.

Frau Schober hörte ganz gern die Sieben-Uhr-dreißig-Morgenandachten, sie trank dann immer ihren allerersten Tee und war dazu rechtzeitig, auch frisiert, ins Bett zurückgekommen, und diejenigen Tagesanfänge gestalteten sich stets als die ergiebigsten, wenn der Moraltheologe Severin sprach. Frau Schober betrachtete sich längst als eine Severin-Anhängerin. Seit Severin das Glauben als den Bewußtseinszustand des Vertrauens verständlich gemacht hatte, kam sie viel besser zurecht. Ja, es gelangen ihr Nutzanwendungen. Ihr Leben wirkte, bei Rückblenden, so gottlos auf sie, obwohl sie sich darin gewiß irrte, sich zu viel Schuldgefühl zumutete. Aber Herr Schober war nie der Typ gewesen, mit dem man über irgendwas Irrationales hätte reden können. Über Religion, oh nein. Nun aber machte dieser ferne Professor, der ihr beim ersten Tee im Bett so persönlich nah begegnete und wie für sie allein zu reden schien, die Angelegenheiten zwischen Geburt und Tod ja fast rational, indem er sie gleichzeitig mit Göttlichem, mit Ewigem ausfüllte. Auch so eine späte Wohltat.

Wie Miriam, obwohl auf sehr andere Weise. Eine wichtige Ergänzung. Miriam zuzureden, eine solche Andacht anzuhören, wäre vergeblich: sie schlief so gern so lang, beinah wie eine Tote. Wie eine schöne Tote, eine engelsgleiche Schläferin, mit dem goldenen Haar, das sich über das weiße Kissen fächerte. Wie gut, wenn Miriam stürbe, so lang sie so schön wäre. Ehe nicht all das Gewöhnliche sie niedrig und produktmäßig gemein machte. Frau Schober hatte damals, als sie von der Zimmertür hinschaute zur schlafenden Miriam im hellen Tageslicht, einen Gedanken zurückdrängen müssen, einen üblen Verdacht. Der richtete sich nicht so sehr gegen die Einbußen, die von außen kamen und eine Schönheit wie die Miriams beeinträchtigen müßten, so wie es jedem geschah. Der Verdacht kam gegen Miriam selber auf. Wahrscheinlich war ich, als ich so häßlich fühlte, nur noch beunruhigt wegen der Sache mit den Herztropfen, dachte Frau Schober später.

Sie hatte sich einige Wochen lang gern von Miriam verwöhnen und daher auch abends mit den Herztropfen

versorgen lassen. Ein liebes kleines Ritual, das sich da
entwickelte. Bis sie sich so komisch gefühlt hatte, von
wellenförmigen Übelkeiten überrollt, und ihr Kopf wurde
gar nicht mehr so richtig klar. Sie war meistens säuselig
benommen, und als sie eines Abends, Miriam war noch
nicht nach Haus gekommen und Frau Schober wollte
früher als sonst das Licht ausmachen, selbständig ihr
Medikament einnahm, fiel ihr der ganz andere Geschmack, der von früher nämlich, auf und ins Gemüt.
Jetzt erst sah sie die Dinge wieder gerecht an. Damals war
sie böse geworden. Miriams Freund aber, er mochte es ja
gut gemeint haben, mit seiner selbsterfundenen Zusam-
mensetzung für sie. Er schwankte beim Studium noch
immer zwischen Chemie und Medizin. Für Medizin hatte
er keine Zulassung, aber irgendwie schaffte er es doch, in
die Vorlesungen hineinzukommen. Er war ein Österrei-
cher und sagte zu jeder normalen Tablette immer PULVER,
und vermutlich genügte schon diese winzige sprachliche
Gruselei dem Argwohn, den Frau Schober gegen ihn
hegte, wenn sie ihn auch mittlerweile meistens unterdrük-
ken konnte. Doch, sie hatte sich jetzt in der Gewalt, was
ihn betraf, nur blieb es dabei, daß sie ihn einfach nicht so
recht leiden konnte. Fürchtete sie aber wirklich, er habe
sie, mit Miriam als Werkzeug – Miriam mußte nicht
eingeweiht sein, das nicht! – vergiften wollen? Glaubte sie
das? Wäre dann Glauben dem Wesen nach Vertrauen?
Ganz sicher nicht, sondern ein schlechtes Zeichen für Frau
Schobers Denkautomatismen und einer Severin-Anhängerin nicht würdig. Einen Brief, über den Sender, an Severin
zu schreiben, war ihr von Miriam ausgeredet worden. Sie
hatte sie nicht gerade verspottet, eher eine Spur belächelt,
und es tat Frau Schober kaum mehr leid um den unge-
schriebenen, gewiß wohl auch zu spontanen, zu naiven

Brief, der ja, Miriam hatte sicher recht, in einem Schwall von ähnlicher Post untergetaucht wäre. Und doch: Wörter blieben auf diese Weise in ihr angestaut. Sie beschloß, vom Beginn des nächsten Monats an mit einer Art Tagebuch anzufangen. Aufs kommende Jahr wollte sie nicht mehr warten.

* * *

Das mag ja alles stimmen, nur hat sie mich einfach ganz furchtbar erschreckt, sagte Frau Schober, die dringend wünschte, Miriam würde endlich damit aufhören, ein so zorniges Gesicht zu machen.
Die Katze bleibt mir fremd, ich meine, weil sie sich was aus Mäusen macht. Ihr müßt versuchen, das irgendwie zu verstehen.
Was für ein Gestammel, wie kläglich. In ihrem eigenen Haus mußte sie sich verteidigen wie ein Einbrecher.
Ich höre nicht mehr gut, deshalb auch, deshalb kriege ich diesen furchtbaren Schrecken, fügte Frau Schober jetzt noch hinzu. Die Katze ist immer so plötzlich da.
Katzen sind nun mal leise, keiner hört sie, nicht nur schwerhörige Menschen, sagte Miriam.
Sie machte jetzt diese Lieblingsbewegung mit dem Kopf, Frau Schober war immer gebannt davon, die lockeren goldglänzenden Haare fielen und rutschten schnell übereinander und lagen dann wie durch ein Wunder wieder in der Ordnung von vorher auf Miriams kunstwerkähnlichem Schädel.
Ein Kompromißvorschlag wäre, zunächst mal als ganz ganz vage Idee, die mir gerade kommt: wir bekämen das Gästezimmer noch dazu, Tom und ich, sagte Miriam. Als Ausgleich würden wir uns von der Katze trennen.
»Gib, daß wenn wir gar vergehn/Recht aufstehn.« Merkwürdig, wie oft Frau Schober diese beiden Schlußzeilen

24

von MORGENGLANZ DER EWIGKEIT zu Hilfe nahm, in letzter
Zeit. Sie hielt so viel mehr von Abenden, hatte immer mit
sehr sonnigen Tagesanfängen Schwierigkeiten. Aber dieser
Morgenglanz, er nützte.
Die Katze saß ernst und unerreichbar auf dem kleinen
hellgrünen Plüschsessel, den sie und Herr Schober früher
stets den Kinosessel genannt hatten. Er war von allen ihren
Möbelstücken am wenigsten antik, am wenigsten wertvoll,
aber als das kleinste Sitzmobiliar am geeignetsten fürs
Gästezimmer: Frau Schobers vorläufig letzte Station im
Wohnteil des Hauses. Und wie ging diese Stelle noch, in
dem Gesangbuchsgedicht, die Stelle mit »unsern kalten
Werken«? »Gib daß . . .« wer oder was? Deiner Liebe,
Güte, dachte Frau Schober. Die »kalten Werke« der
Miriam und ihres Freundes sorgten allmählich dafür, daß
sie zufrieden sein mußte, im Keller ein Plätzchen zu
ergattern. Tom konnte gar nicht genug Bewegungsfreiheit
haben: so nannte er, Frau Schober gegenüber und in
Miriams Worten, seinen Drang, Experimentiergeräte und
Chemikalien übers Haus zu verteilen.
Frau Schober beschloß, wie auf den Befehl eines unsicht-
baren Dirigenten hin und gleichzeitig mit vollinstrumen-
tiertem Regenanfall, sich schon einmal vorsorglich im
Keller umzuschauen. Dieser Spätherbst war ungewöhn-
lich reich an Niederschlägen, und Frau Schober graulte
sich ein wenig. Wie wär's mit einem Heizkostenzuschuß,
würde sie Tom heute abend mal fragen. Und vielleicht
hinzufügen: Wenigstens vorübergehend. Das kam auf
Toms Gesichtsausdruck an. Frau Schober wünschte Har-
monie, aber sie wollte nicht gern diese stattliche Summe
anrühren. Für sämtliche Unkosten, die im Zusammenhang
mit ihrem Todesfall entstehen würden, lagerte dieser
Batzen Geld auf ihrem seit Herrn Schobers Bestattung still

Zinsen absondernden Girokonto. Pfennigbeträge. Sie machte da wohl irgendwas falsch.

Frau Schober spürte förmlich, wie ihr eigenes Gehgeräusch sich aus dem Orchester der Naturereignisse meldete: wieder bekam sie dieses ermutigende Gefühl von persönlicher Mitgliedschaft, von selbständiger Wirkung. Es kam auch auf sie an, oh gewiß, und sie, eine Adressatin der Severinschen Morgenandachten, könnte auch jederzeit eine Absenderin werden. Mitmischen, sich Gehör verschaffen: könnte sie alles. Woran nur erinnerte sie der Geruch im ehemaligen Weinkeller? Hier unten hörte man wenig vom Wetter. Der Geruch beschwor diese gesundheitlich schlechte Phase herauf, die unklar mit den Herztropfen zusammenhing. Also bestätigte sich der Verdacht und Miriams Freund hatte an diesem Medikament herumexperimentiert. Vielleicht ja nicht in böser Absicht. Aber Frau Schober waren die Tropfen nicht gut bekommen. Wieso dachte sie nicht von vornherein, Miriams Freund habe ihr etwas besonders Wirkungsvolles verabreichen wollen? Sei aber gescheitert? Glauben ist, so ungefähr, Vertrauen. Bezog sich das auch auf Menschen? Dann stimmte wohl was nicht, mit ihrer Art zu glauben. Sie glaubte an einige Menschen offenbar nicht. An Miriams Freund nicht, verbesserte sie sich und schnupperte jetzt an einer Glasschale.

Ein weißliches Zeug, eben wirklich noch Pulver, noch ungeformt, füllte das Gefäß nur noch zu einem Drittel. Das war doch eins von ihren hübschen Salzfäßchen, lang nicht mehr gesehen! Frau Schober erinnerte sich der vier gleichartigen Behältnisse, zu denen dieses hier gehörte, und wohin war die kleine Ménagère verschwunden, in der sie eine Gruppe gebildet hatten?

Nicht abschweifen. Das Pulver roch so, wie Frau Schobers

Mund seit einiger Zeit immer schmeckte, was höchst lästig war und nervös machte. Genau so roch das. Und sie hatte sich schon für eine Serie von Vitamin-B-2-Spritzen beim Dr. Weil angemeldet, diesem Panikbruder. Sie ging nicht gern zum Arzt. Plötzlich – wie durch Erkenntnis – war sie im Mundraum geheilt. Worin sie sich ja wohl täuschen mußte, aber wirklich hatte sie ein ganz säuglingsfrisches Zungengefühl. Ha, von wegen Glossitis, von wegen Mangelerkrankung!

Glauben, glauben. »SO LANGE ES MENSCHEN GIBT« wurde heute abend im Dritten Programm wiederholt.

* * *

Wie nett sich Miriams Freund den ganzen Tag schon um sie bemühte. Frau Schober tat es fast leid, daß sie ein wenig scharf geworden war. Aber die Frage »Wie wär's mit einem Heizkostenzuschuß« ließ sich nicht wieder zurücknehmen. Und möglicherweise war was dran: Menschen sollten offen und geradeheraus miteinander umgehen. Tom wirkte wie frisch gewaschen. Er würde zahlen, vom nächsten Ersten an bereits.

Jetzt brachte er ihr eine Portion Sojabrei.

Ich gehe nur nochmal zum Plaza-Markt rüber, ja? Und Sie denken dran, daß Miriam, wenn sie ihren Trunk intus hat, ein bißchen zu schlafen versuchen sollte, sagte er.

Miriam erlitt schon den dritten Schmerzenstag innerhalb eines etwas vernebelten Unwohlseins. Sie verbrachte auch diesen Tag im Bett. Wenn sie mal aufstand, dann ging sie so vorsichtig, so achtsam, als hüte sie eine Zerbrechlichkeit. Sie sah gar nicht so nach Schmerzen aus wie sonst jeweils. Aus etwas närrischer Liebe zählte Frau Schober stets heimlich mit und wußte daher, daß die gegenwärtige Unpäßlichkeit nicht in Miriams Monatszyklus paßte. Still schuldbewußt genoß Frau Schober es ja alle vier Wochen ein bißchen – was sicher nicht besonders für ihr Moralempfinden sprach – wenn Miriam ihr da die fast völlig vergessenen eigenen Schmerzenslager heraufbeschwor, und Miriam, zart wie sie war, hatte immer sehr zu leiden. Oder spielte beim nicht ganz einwandfreien Gewinn, den sie für sich einstrich, auch eine Erleichterung mit? Es traf zu: Frau Schober atmete regelrecht jedesmal auf. Sie machte sich nämlich gern vor, daß Miriam und ihr Freund ... wie sollte sie das bloß ausdrücken. Daß sie nichts miteinander hatten. Was allerdings durch Miriams monatliche Niederlagen überhaupt nicht bewiesen wurde. Dumm von mir, sagte Frau Schober sich. Doch merkwürdig beruhigt war sie jedesmal. Es schien Miriams Kindlichkeit zu bestätigen, daß sie Monat für Monat das Bett hüten mußte.

Rief sie nach ihr? Oh ja, das war Miriams Stimme. Aus dem ersten Stockwerk. Wie fordernd sie klang, wie barsch, einfach unpersönlich. Frau Schober rief JA hinauf. Gut, ja doch, sie hatte sich verspätet und Miriam, die ja ein bißchen schlafen wollte, auf ihre Ovaltine warten lassen. Wie konnte man sich nur so ertappt fühlen, bloß weil man die Gelegenheit ergriffen hatte, sich mal wieder in seinem eigenen Keller umzuschauen? Es stimmte nicht, daß Frau Schober nur aus Gedankenlosigkeit das Glasschälchen mit dem verdächtigen Pulver in der Hand behielt, beim Treppaufsteigen, und daß sie aus Versehen statt der Extradosis Traubenzucker die Ovaltine mit dem Pulver würzte, das traf ebenfalls die Wahrheit nicht.

Ich brauche jetzt ganz viel Kräftigendes immer noch dazu, hatte Miriam vorhin abschließend gesagt.

Schade, daß sie nicht in einem ihrer wunderschönen Nachthemden auf dem Bett lag. Das wäre bei allem, was hinterher vorzugehen hätte, so hilfreich gewesen. In nichts, aber auch rein gar nichts, war Herr Schober zu seinen Lebzeiten so schnell gewesen wie, nur eben hinterher, darin, völlig starr und steif zu werden.

Wir wollen das Baby nämlich auf jeden Fall kriegen. Ich werde also viel ruhen müssen. Es paßt ganz gut, daß Sie noch im Haus sein werden, bis es so weit ist, Frau Schober.

Miriam hatte heute den hellblauen Pullover an. Sie trug das schöne glitzernde Haar lang und offen. Frau Schober gefiel eine Gliederkette, die um Miriams Hals genau paßte.

Was soll das heißen, Miriam? fragte sie.

Miriam trank in sehr kleinen Schlucken von der Ovaltine mit dem Pulver. Frau Schobers Bewußtsein beherbergte plötzlich so ein österreichisches Stimmchen, das in Toms Tonfall PULVER mehrfach aufsagte. Wir haben bei der Seniorenresidenz RUHELAND vorgefühlt, sagte Miriam. Glücklicherweise kommt ja für Sie nur eins von den Kleinappartments in Frage und die gibt's vermutlich schon ab Frühjahr die Menge. Sie haben ja nicht mehr so viel Zeug.

Eigentlich kam Frau Schober die goldene Gliederkette ziemlich bekannt vor. Wo war denn das Armband hingekommen, das nicht genau der Kette entsprach, was man jedoch, so hatte Herr Schober in irgendeiner vielleicht doch gar nicht so üblen, gar nicht so gottlosen Vorzeit immer gemeint, auf die weite Entfernung nicht merkte. Die weite Entfernung zwischen dem Hals und dem Handgelenk von Frau Schober. Warum fühlte sie sich, vor allem am Hals, plötzlich so gegürtet, geschnürt, und überhaupt, warum fühlte sie sich, als sie jetzt ein paar Schritte auf Miriam zugehen wollte, so schwer und wie angeschwollen, unterhalb der Hüften?

Ist was los?

Miriam schien von weit weg zu fragen.

Frau Schober wollte zum inzwischen ausgetrunkenen Ovaltine-Becher hinübergehen. Sie wollte auch prüfen, ob man Miriam schon was anmerkte.

Hat Tom Ihnen einen schönen Sojabrei gemacht?

Außerdem bereitete es Frau Schober solche Mühe, sich daran zu erinnern, um was für einen Vorschlag es sich handelte, den sie, ganz dringend, Miriam zu machen wünschte, vorhin doch noch, ehe sie so töricht gewesen war, im Keller herumzuspionieren ... ging es um eine Bitte, die den Garten betraf? Das Kinosesselchen? Das Armband, das fast der Gliederkette entsprach, Frau Schober könnte es Miriam zusichern, falls Miriam nicht längst ... Was war denn nur los? War es was mit dem Fernsehen? Mit Schokoladentrunk und Butterhörnchen? Regnete es noch?

Zu »SO LANGE ES MENSCHEN GIBT« könnte sie einladen, aber war heute auch wirklich der Tag, an dem sie es sendeten?

Open End

Und was würden Sie zu einem Menschen sagen, der gar keinen Fernsehapparat hat? fragte der Dekan und blickte mit etwas betrübter Neugier auf Toby, dem nichts Höfliches einfiel.
Sie meinen sich selber, stimmt's?
Allerdings.
Jetzt sah der Dekan eindeutig so aus, als erhoffe er eine Zurechtweisung. Bei allem, und zwar bewunderndem Respekt für jahrzehntelange Askese: nun war es an der Zeit, daß ein irdischer Erlöser ÄNDERN SIE DIESEN ZUSTAND befahl. Endlich endlich.
Toby sagte:
Sollte man nicht aber darüber Bescheid wissen, was die Gemeindemitglieder so treiben, ich meine ja bloß, so Abend für Abend sehen die sich ja irgendwas an.
Womit sich die übrige Menschheit beschäftigt, ich finde, das wäre wissenswert für einen wie Sie, hatte Toby neulich erst einem Kommunalpolitiker zu bedenken gegeben. Was für eine wichtige Rolle spielte doch in seinem schöngeistig gemischten Bekanntenkreis die ab und zu deutlich geäußerte Verachtung fürs Fernsehen. Manche bequemten sich zu Nachrichtensendungen, zu politischen Magazinen, Features und Diskussionen, und denen kam Toby dann damit in die Quere, daß er auf die Einengung durch zu knappe Sendezeiten schimpfte und die Unentbehrlichkeit vom guten gründlichen Zeitungsjournalismus spielverderberisch predigte. Euch entgeht die genaue Recherche, die Hintergrundinformation: so hörte er sich in seinem Gedächtnis. Aber er selber fühlte sich gut unterhalten beim

Beobachten der physiognomischen Reaktionen auf Politikergesichtern. Doch schon Hinterbänkler langweilten ihn. »Kriterien, die eine Sendung erfüllen müßte, damit Sie persönlich sich unterhalten fühlten«, memorierte er. Oh, sich wieder eingelassen zu haben auf eine Mitarbeit! Nur lag ihm nun einmal fast alles, was mit dem Fernsehen zu tun hatte, am Herzen. Er hatte wohl JA sagen müssen, schon phänotypisch. So ungefähr.

Und dann gab es auch noch diese reichlich unverständlichen Kulturbeflissenen, die sich den Fernsehapparat – versteckt im ungeliebtesten Zimmer – nur hielten, um in zeitlich großen Abständen irgendwelche renommierten Theaterinszenierungen langwierig auszuhalten. Toby kannte keinen einzigen, der es vor Zeugen wagte, sich auf JEDER WIE ER WILL oder RETTE SICH WER KANN zu freuen. Alle diese Leute mußten eine verheerende Angst vor dem Ereignis der Unterhaltung haben. Ihm aber und seinen Bücher publizierenden Kollegen nahmen die gleichen Leute ein Unterhaltungsdefizit übel. Sie wollten schon lesen, durchaus, dazu waren sie bereit und fest entschlossen, aber doch nicht lauter so deprimierende und anstrengende Sachen immerzu. Toby mußte jetzt weiter, er verabschiedete sich vom Dekan, vom Politiker oder sonst so einem freien Menschen, der nicht ins Koordinatenkreuz der TV-Unterhaltungs-Stationen eingegliedert war, mit einer Anfangszeit im Kopf: von einem beinah anderen Lebewesen also verabschiedete sich Toby, dem Vorprogramm zustrebend: er sah zu gern, gleichzeitig mit dem Apéritif, GASSI GASSI, eine Sendung mit vierbeinigen Gästen aus dem Tierheim. An die Moderatorin war er so gewöhnt wie an eine nette Cousine. Er selber kam als HERRCHEN nicht in Frage, aber er sah einfach gern zu, hätte nicht genau gewußt warum, und welche Kriterien durch diese

Sendung hier nun erfüllt waren, sonderbarerweise, denn er interessierte sich für Tiere nur sehr von weitem. Er mochte die verwandtschaftliche Moderatorin so gern, wenn sie sich von Hund zu Hund zum Streicheln, Zuspruch, Fellkontakt herunterbeugte und die Ruhe behielt.

Und womit hing seine Tatkraft zusammen? Und aus welcher Geschmacksrichtung kam seine eigene Umbenennung? Wieso war er längst kein Tobias mehr und fühlte sich als Toby weniger festgelegt, lockerer, nicht so eingeschnürt, sondern mehr wie einer, der entkommen konnte? Wohin? Und von woher? In die Filme, untertauchend, aus den eigenen Sorgen in die Sorgen anderer Leute schlüpfend. Gewiß, er stand unter Einfluß. ICH BIN EIN FILM-FAN zu bekennen, machte sich immerhin noch gut, war schick und doch seriös. Mit seiner Fernsehabhängigkeit rückte man besser nicht heraus. Heutzutage, aus Bequemlichkeit, stammte der Einfluß durch Filme vom Fernsehen, bei Toby, der ja in Gebührenform sowieso seinen abendlichen Eintritt zahlte und dann, als Zuschauer, nie auch nur einen einzigen Kopf vor sich hatte. Keinen Störenfried weit und breit.

Wozu die Rechtfertigerei? Verfluchtes Interpretieren von allem und jedem, murmelte Toby Karzer jetzt.

Hast du was gesagt, rief Ortrud Karzer ihm aus der Polsterlandschaft zu, die leinenfarben und bodennah dem Kamin vorgelagert war. Der Kamin wurde überhaupt nicht mehr benutzt. Es war einfach zu viel Drum und Dran. Beide Karzers hatten sich mehr vom Kamin versprochen. Von irgendwelchen frühen Herbstabenden. Und etwas gab es ja doch allabendlich im Fernsehen. Angemacht wurde der Apparat ja doch, nicht wahr, und wenn es nur für eine einzige Nachrichtenschau samt Wetterbericht geschah. Und es geschah in Wahrheit, um das System nicht zu verändern. Es geschah aus Gesetzestreue. Sie frühstückten ja auch, Morgen für Morgen. Gewohnheiten sorgten fürs Überleben.

Verdammt, das ewige Herumdeuten, sagte Toby, der es seiner Frau mal wieder etwas mißgönnte, daß sie trotz allem eine Art Leseratte geblieben war. Sie hielt Schritt mit den Neuerscheinungen. Klar, wenn man wie sie halbtags als Buchhändlerin wirkte, mußte man wohl aufgeschlossen in törichter Gier alle diese ähnlich lautenden Titel um sich herum gruppieren und das auch noch hochinteressant finden, aber was sprang dabei heraus? Für Ortrud? Ein gutes Gewissen.

Was schimpfst du eigentlich vor dich hin, fragte Ortrud.

Eine Ortie oder so was Ähnliches hatte aus ihr nicht gemacht werden können. Und gegen Trudi oder Trudl sprach das Weltanschauliche dabei. Angloamerikanisch muß es sein, dachte Toby, wichtiges Kriterium, damit ich persönlich mich in die schöne ablenkende Gegenwelt der Medienunterhaltung versetzt fühle. Keine andere fremdländische Version zog so recht bei ihm.

Es geht um diesen verfluchten Beitrag zum Thema UNTERHALTUNG IM FERNSEHEN, sagte Toby zu seiner diagonal, aber nicht unvertieft lesenden Frau.

Und warum hast du zugesagt, fragte sie bei gleichzeitigem Vorankommen in einem schmalen Buch mit dem Titel DRITTE ANNÄHERUNG. Das Honorar ist nicht übel, sagte Toby in der Hoffnung auf eine Art Erweckung bei Ortrud: daß er Brotarbeiten verrichtete, müßte sie wenigstens rühren. Wenn es sie schon nicht aufrüttelte, nicht im Sinn einer Empörung dahin brachte, endlich doch mal wieder zu mahnen: Toby, Liebling, vergeude keine einzige Minute fürs Sekundäre. Bewahre dir jede Faser deiner Kraft für die Hauptsache.

Früher hatte Ortrud so Sachen gesagt. Jetzt hörte Toby von ihr: Na gut, wenn das Honorar stimmt, warum machst du dich nicht dran? Eine Spur taktlos fand Toby es ja auch immer, daß seine Frau überhaupt Bücher las. Eine Beschäftigung, die der Untreue gleichkam. Sie gab sich mit dem trüben Haufen der Konkurrenz ab. Als sie vor fünf Jahren in der Buchhandlung anfing, hatte sie noch so Leistungen vollbracht wie: ein Toby-Karzer-Schaufenster. Was noch? Vergessen. Lang her. Heutzutage erzählte sie, von keinem Schuldgefühl gedrückt, wie erstklassig sie den neuen Peter Poller und DENKZETTEL verkaufe.

Die Redakteurin hatte eine schöne Stimme, sagte Toby, erfüllt vom Wunsch nach Rache.

Ich finde auch, daß unser Telefon in letzter Zeit wieder in Ordnung ist, sagte Ortrud. Du, schreib doch, daß dich so was wie Telefonanzapfen, so was Aktuelles, daß das dich im Fernsehen interessieren würde. Gegenwartssachen, mit Betroffenen, Sachen, die passieren und so weiter.

Ich fürchte, ich kann mir schwer was Langweiligeres vorstellen, sagte Toby.

Natürlich kannst du dir Langweiligeres vorstellen. Siehst du etwa DAS GROSSE LOS oder KÜSSEN IST PRIMA? Unterhaltungs-Shows mit diesen Big Bands und Glitzerspuk und Farbenquatsch und Beleuchtungswahnsinn, das ist doch alles dein eigener Wortschatz, Tobylein, oder? Du selber verlangst doch nach mehr Realität, oder sogar Wahrheit. Du Gegner der Ausgewogenheit und der Heuchelei und des Prominentenkults.

Andererseits sind Unprominente auch langweilig.

Darüber denke ich völlig anders.

Was ich nicht leiden kann, das sind die verdammten Show-Blocks oder diese Guitarristen oder Klavierspieler, die in jeder Talk-Show oder Quizsendung alles unterbrechen, das ist diese verdammte Regie, die alles reglementiert und vereinfacht, weil ängstlich vermutet wird, daß die Leute einen halben Abend lang nur Text, nur Sprechen nicht aushalten. Diese blödsinnige Verfügung, diese Anbiederei ins Leere hinein. Hinunter. Dieser Kniefall.

Schreib doch das. Schreib vor allem, daß sie zu viel Geld ausgeben, sagte Ortrud, ohne noch bei der Sache zu sein.

Du bist weltfremd, sagte Toby.

Ich dachte, es darf völlig subjektiv sein?

Ortrud räkelte sich nun aus der Dünenkette von Kissen heraus, stand auf und wurde zur voll ausgewachsenen, berufstätigen Frau im zweitbesten Alter, der die Fernsehunterhaltung einfach nicht nah genug ging.

Subjektiv schon. Aber es müßte doch wenigstens auch originell sein, Schätzchen. Originell, nicht wahr? Und nicht das, was sich jeder von jedem Intellektuellen sowieso denken kann.

War Ortrud ein bißchen eingeschnappt? Sie bürstete ihr langes blondes Haar in die Gegenrichtung. Toby sah immer gern zu, wenn sie abschließend den seitlich nach unten geneigten Kopf zurückschnickte und dann das Haar dick und schwungvoll rund um ihr Gesicht landete. In diesen Momenten war er stolz auf sie. Sie wirkte auf ihn reif, dem geschäftigen erwachsenen Leben ebenbürtig, wie eine Hauptdarstellerin, die man mitten hinein in eine Spielfilmhandlung schicken könnte. Ach, Filme, Filme aus Hollywood vorzugsweise, ach liebe Geborgenheit. Einem Hitchcock-Plot war Ortrud beim Haarbürsten gewachsen. Abendliches Ablagern im Kleinkino. Unsichtbar wurden die Bücherstapel. Daß man eines Tages sterben würde, stand gar nicht mehr ganz so felsenfest.

Gut, alles in allem doch gut, Ortruds eifersüchtigmachende Betätigung, denn nun bräche sie bald in die Buchhandlung auf und Toby würde sich sammeln können. Er brächte es zu ersten, dann unbelauschten Tippgeräuschen. Oder mach was Fiktionales, riet Ortrud. Das geht doch immer, oder? Sie bereitete jetzt noch den Espresso, üblicher wichtiger Knotenpunkt im Tagesgerüst, und den Espresso gab es zur Besprechung des Abendprogramms. Toby erheuchelte seinen Informationsdefekt. Ortrud fiel drauf rein wie eh und je. Immer schon eine Woche im voraus hob Toby mit Kreuzchen – von eins bis vier, in Fällen von ekstatischer Befürwortung kamen Ausrufezeichen hinzu – bedenkenswerte Sendungen hervor.

Nichts nichts nichts, entschied Ortrud. Ich laß mir BROT UND GRANIT nicht andrehen. Und diese Inkas auch nicht. Beim besten Willen.

Manchmal sind Sachen unerwartet doch gut, sagte Toby, fühlte sich aber matt beim Überreden. Er starrte mutlos auf sein eigenes Fragezeichen neben dem Titel LIEBESRAUSCHEN. Selbst er hatte dieses Anti-Unterhaltungsgewissen und konnte es nicht überlisten. Obwohl er tagsüber wahrhaftig fleißig genug war. Komisches Leben, mit eingebautem Pflichtdruck. Ein unbereutes Müßiggängertum wäre doch eine reife Intelligenzleistung, im kierkegaardschen Sinn. Etwas Derartiges gab er Ortrud zu verstehen. Nicht zum ersten Mal.

Ich glaube nicht, daß Kierkegaard sich im heutigen Fernsehprogramm auch nur einen einzigen Vermerk gemacht hätte, sagte Ortrud.

Aber haben nicht auch dich neulich diese Hunsrücker Bauern plötzlich interessiert? Der historische Hintergrund und so weiter?

Es war die Eifel, Liebling.

Nein, Westerwald. Und es war überhaupt nicht vergeudete Zeit.

Was es war und wo immer es war, es war nicht nö-
tig.
Es war punktuell interessant. Gesichter von Leuten . . . für
mich hat das immer Unterhaltungswert.
Unterhaltung! Ach, Toby. Mir paßt ein freier Abend sehr.
Toby rief Ortrud ins Treppenhaus hinunter nach:
Ich brauche sie schließlich beruflich, die UNTERHALTUNG!
Ich muß drüber arbeiten . . .
Schwache Abfindung, müder Trost. Den unangenehmer-
weise bevorstehenden schöpferischen Akt würde es bele-
ben, ja es wäre so zündend, wenn im späteren Abend ein
Spielfilm als Asyl und Glücksziel angepeilt werden
könnte. Was gab es, das nicht besser funktionierte, so bald
man die Richtung kannte? Die Richtung Abend, amerika-
nische upper-middle-class-Problematik, Ablenkung. Um
20.15 Uhr sollte das Schöne ja noch gar nicht beginnen, der
Konflikt im Familienkreis, Tennessee, USA, lieber erst nach
neun Uhr, der Western, die erschreckende Landschaft.
Problematisch waren Abende mit gutem Anfang und
anschließender Leere. Helles Licht nach anderthalb Stunden Bildschirmbeleuchtung chaotisierte Tobys Blutkreis-
lauf. Deshalb schätzte er den Gestus des Verzichtens: Es
gäbe zwar was Lohnendes, aber gehen wir besser noch ein
paar Schritte! Die allzu seltenen Open-end-Diskussionen
waren zum Glück immer spät genug plaziert. In knauseri-
gen Dosierungen übernahm das Dritte Programm den
Club 23, über dessen völlig ungegängelte Spontaneitäten
man sich doch zweimal wöchentlich freuen könnte, im
Sendegebiet. Fast am entscheidendsten für Tobys Genuß-
erfolg war das OPEN END-Gefühl. Außer, daß er es als
wohltuend empfand, wenn keine Musikunterbrechung
befürchtet werden mußte, und beinah auch nie eine Ein-
spielung von irgendwelchen MAZ-Bändern. Keinerlei Auf-

lockerungen, nur miteinander redende Leute, von denen Toby hoffte, sie würden sich nicht die ganze Aufzeichnung hindurch nett finden. Privat haßte er Streit, aber als Zuschauer liebte er die Meinungsverschiedenheiten, und beim Club 23 blendete kein Sendeschluß, künstlichen Frieden stiftend, die erkenntnisfördernde Mimik der Kontrahenten aus. OPEN END! Toby war schon als Kind seinen erwachsenen Begleitern mit der besorgten Frage aufgefallen – kaum daß ein Theatermärchen, ein Kinofilm, eine Zirkusvorstellung angefangen hatte – ob es denn auch noch nicht aufhöre. Dauert es auch noch lang genug? Das war er wohl noch immer, das allem Vergänglichen gegenüber empfindliche Kind. Ein glücksempfängliches Kind, in seiner Sicht der Seelendinge, aber ein abschiedsargwöhnisches Kind eben auch, in Heimwehstimmung vorweg, mit einer Witterung für die Endlichkeit.

Kopf hoch, Toby! Schreib so was für keinen. Raff dich auf. Er redete sich jetzt gut zu. Das Aufraffen ist fast schon die Arbeit selber. Vor einiger Zeit hatte er gelesen, ein Menschenleben reiche nicht dazu aus, alle bisher produzierten Filme zu sehen, selbst bei pausenlosem Zuschauen nicht. Diese Mitteilung hatte ihn beruhigt. Gleichzeitig brachte sie ihn aber auch gegen die Leute in diesen ganzen Hauptabteilungen der Fernsehanstalten auf. Lehrmeister! Spielverderber! Mutlose Einschaltquotenjäger, immer auf den Knien liegend vorm sklavisch angehechelten Geisterbild, Feindbild vom Zuschauer. Einen Prototyp umkreisend. Fang an, befahl sich Toby. Nicht verzetteln. Der Redakteurin mit der wohltuenden Stimme würde er eine Geschichte schreiben, nichts Essayistisches. Er wurde zu leicht unsachlich, wenn es um das Phänomen Fernsehen ging, und um sich selber als einen, der auf das Programmangebot so scharf war. Weshalb manche Leute ihn für kontaktverächtlich, für entmenschlicht hielten, das verstand er überhaupt nicht.

Mach's nicht so autobiographisch, das war ein Ratschlag Ortruds, den er immer im Ohr hatte. Es gab Leser, die an seinen Figuren herummäkelten, bloß weil diese Figuren dem Fernsehen gegenüber nicht gleichgültig waren. In abendlicher TV-Unterhaltung erblickten solche Kritiker Daseinsschwäche, existenzielle Kommunikationsstörung, einen grundsätzlichen Defekt. Folgerichtig mußte ja Toby Karzer als der Erfinder dieser armen Hunde ein böser Skelettierer sein, einer, der es nicht wirklich gut mit seinen Nächsten meinte. Toby sah das völlig anders. Ihn beschwichtigte der Anblick von Fernsehantennen auf dem Streckenstück zu Ortruds Buchhandlung, das oberhalb des Sewering-Viertels verlief und von dem aus man einen Überblick bekam. Ich bin natürlich nicht fürs Kinderfernsehen, dachte er flüchtig, halbherzig; nicht pauschal stumpfsinnig insgesamt fürs Fernsehen, beziehungsweise: doch. Für die Erfindung bin ich, für die Einrichtung als solche. Nicht für die herrschenden Programmverhältnisse. Nicht für das eine einzige grobe dümmliche Bild vom Dornröschen für alle Kinder, selbstverständlich bin doch nicht ausgerechnet ich für Phantasieschwund, für Denkverluste, ich doch nicht, nicht für Massenhaftigkeit. Toby tippte jetzt: »Schon beim Aufwachen war Gunda guter Dinge, denn sie wußte sofort, daß es zum gewohnten Dienstags-Spielfilm-Termin um 21.20 Uhr GRUND ZUR AUFREGUNG gab und das sähe sie zum dritten Mal, das könnte sie gegen Dieters Proteste durchsetzen. 21.20 Uhr war ihr recht, denn dadurch bliebe Zeit, nach dem Abendessen einen Briefkastengang zur Dreiviertelstundenunternehmung auszubauen. Gunda bedachte gern ihren vernünftig mit Training versorgten Körper, der dann um so wohliger im Zuschauersessel lagerte, und die 15 Minuten Übergang, diese Pause zwischen Film und Club 99, die hieß sie ebenfalls willkommen, weil sie dann genug Muße hätte, um auf Dieters nächtliche Essensbedürfnisse freundlich und gemütlich zu reagieren. Sie schätzte es gar nicht, wenn Dieter mitten in einer Sendung Lust bekam, von ihr ernährt zu werden. Gunda sollte an diesem Morgen endlich mit einem Beitrag zum Thema UNTERHALTUNG IM FERNSEHEN weiterkommen. Ihr waren die beiden bisher entstandenen Seiten zu trocken. Mit Theoretischem hatte sie selten Glück. ›Mir, subjektiv‹, stand da, ›wäre mit einem regelmäßigen Spielfilmangebot, ohne Angst vor Wiederholungen, und mit den sehr telegenen verschiedenen Versionen der Talk-Show weitgehend gedient‹. Schauerlich spröde, fand Gunda. ›Alles Belehrende habe ich weniger gern.‹ Matt. Und wenn sie das so stehenließe, verdürbe sie es sich mit einem Haufen Leute aus ihrem beruflichen Alltag. ›Zuschauermitwirkungen haben meistens etwas äußerst Deprimierendes, wegen der kecken Hilflosigkeit der Äußerungen, Bewegungen, Anbiederungen beim Show-Master.‹

Jetzt noch was mit ›Denunziation‹? Man galt leicht als elitär. Oh je, dachte Gunda, schreib doch am besten eine kleine und von dir weggerückte Geschichte, und ihre Mutter fiel ihr ein. ›Frau Milstein bügelte die Wäsche, das war jetzt immer die Wäsche von drei Wochen, und seit sie als Witwe allein lebte, genoß sie es kein einziges Mal, daß das Bügeln trotz des Sammelns fast verschwenderisch benutzter Taschentücher keine Riesenarbeit mehr war so wie früher im Haushalt mit Kindern, Tanten, Ehemann. Wie gut, daß es am Abend LEUTERATEN gab. Frau Milstein lehnte es ab, es zu halten wie andere Frauen ihres Alters und oft schon nachmittags fernzusehen. Vor allem mied sie

Sendungen, die speziell für sie und diese andern Frauen ihres Alters gedacht waren. Sie wußte den Begriff nicht sofort, ah ja: Zielgruppe, und sofort stieß er sie ab. Das Wichtige am abendlichen Fernsehen war, daß man von seinen Nachdenklichkeiten und vom Alleinsein absah, und besser einschlafen konnte Frau Milstein dann auch.‹ Gunda wartete auf den nächsten Gedanken zu ihrer Mutter, die vielleicht des Fernsehprogramms weniger bedürfte, wenn Dieter und sie selber ab und zu mal abends bei ihr aufkreuzen würden, aber hieran weiterzuassoziieren, verbot Gunda sich sofort«, schrieb Toby. Er spürte, wie seine Gunda spürte, daß das alles ein Spinnwebbau von Zusammenhängen war, und er schrieb: »Gunda schrieb: ›Frau Milsteins Tochter sah gern abends so was wie GRUND ZUR AUFREGUNG oder Club 99, weil sie dadurch fast vergaß, daß ihre Mutter gern abends LEUTERATEN sah und – egal über welches Thema – die Diskussionsrunden im AUTOBUS, weil ihre Mutter dadurch wirklich vergaß . . .‹ Nicht abkommen, riet sich Gunda, und sie schrieb: ›Frau Milstein nahm ihren Abendimbiß während der Regionalschau zu sich. Die jungen Burschen von der Regionalschau wirkten so beschützend auf sie, sie konnten, so schien es, jederzeit zu ihr selber ins abgedunkelte Zimmer gerufen werden, besonders der eine von ihnen kam ihr allmählich leichter erreichbar, handgreiflicher, weniger kompliziert ansprechbar vor als ihr eigener Sohn‹«, schrieb Toby.

Erinnerung an den Tod von Felix Mendelssohn-Bartholdy

Nach Tisch versorgten meine Schwester und ich unsere beiden großen schweren Puppen. Der Christoph wiegt nicht ganz so viel wie mein Peterchen mit der auch gesünderen Gesichtsfarbe, und ich empfand wieder diese glückliche Sinnlosigkeit als gemütlich und gewinnbringend, die unvernünftige Abmachung, durch die wir alle diesen stattlichen Körper in der Kosenamensform verkleinern. Meine Schwester hatte ihren zierlichen Christoph schon flachgelegt und sie wischte ihm nun noch irgendwelche Bratensaucenspuren vom Porzellangesicht: weil er sehr leicht einschläft, konnte sie sich die Mühe sparen, ihn mit einem Buch zu drapieren. Ob er nun die Augen zumacht oder nicht, das ist Schlaf, beim Christoph, und das kalte, erweckerhaft österliche Aprilmittagslicht behinderte ihn gar nicht. Das Peterchen ist schon schwerer zu betreuen, finde ich.

Muß ich ihn strenger anfassen, was meinst du, fragte ich.

Ich glaube, deine Probleme mit ihm und seinem Mittagsschlaf kommen daher, daß er doch längst nicht so fleißig ist wie meiner, antwortete meine Schwester.

Ich war seit unserer allgemeinen Familienbegrüßung ständig leise und liebend neidisch auf meine Schwester, die mir so dünn und dynamisch vorkam. Wir würden nachher irgendwo im großen alten Haus einen Winkel für uns finden, um uns mal so richtig auszutauschen, in unserer selbstgemachten Mundart und mit verstellten Stimmen, Themen: die Operation meiner Schwester. Die Zukunftsaussichten für unsere Puppen. Erinnerungen an dieses

Haus, an die Tanten von früher. Im Glücksfall, Höchstfall von Leichtsinn: ein Wort über die Mutter. Ich kam mir, in der nach einem Abstand von ungefähr vier Monaten ungewohnten Gesellschaft meiner Schwester, schwer und klößig vor wie ein nasser Sack, aber heimatlich, und es gab kein Entrinnen aus einem Gernhaben, das wie Atemnot war und dennoch hochgeschätzt. So Tage mit den Tanten, mit der Mutter, meiner Schwester, mir und unseren beiden großen Puppen, solche Tage, und bestimmt Osterfeiertage, sind wie ein langgedehnter Erstickungsanfall. Das ständige Lieben steigt mir wie Sekretion zu Kopf, ich bekomme Tränensäcke davon, ein dickes Gesicht.

Ich hatte das Peterchen in den früheren Stammplatz unseres Vaters gesetzt: Los, in den Backensessel mit dir! Und der Polsterschemel wird auch ihm so hingeschoben für die Beine, ihm wie dem Vater, egal, ob das Peterchen ihn braucht, und ich umwickelte den stumm wohlgemuten festen Körper mit einer Wolldecke. Beim Anfassen der Wolldecke fiel mir wieder diese allgemeine gutartige Lebensbescheidenheit meiner Tanten auf. Ein altes, ausgeblichenes Ding, diese Wolldecke, nicht ansehnlich. Ich stellte dem Peter, in der Mitte aufgeklappt, den »Nachsommer« auf den Bauch. In diesem Zimmer liegt der »Nachsommer« immer griffbereit, die jüngere Tante liest ihn einmal im Jahr. Die Verlängerung eines Regenschauers, der abschließend niederging auf uns alle nach dem Mittagessen, habe ich dazu erfunden.

Wir haben dann unsere Tanten gerufen, stolz auf die Puppen:

Wollt ihr sie jetzt nicht anschauen? Sieh mal, mein verfressenes Peterchen, es hat drauf bestanden, daß ich seine Ostereiersammlung neben ihm aufstelle! Fast meint man, es habe im »Nachsommer« schon eine Seite umgeblättert.

Der zierliche erschöpfte Christoph, er scheint wahrhaftig schon zu schlafen, wie schnell das bei ihm geht, was hat er denn bloß wieder hinter sich?

Wie schade, daß auch unsere Mutter so fest schläft. Wie gern würden wir ihr unsere Puppen vorführen, und den Hauptspaß hätte sie an meinem naschhaften Peterchen: Sieh dir mal meinen an! Er thront da so behäbig und mit gefeitem Gesichtsausdruck sieht er so zuverlässig, so vertrauenerweckend aus.

Während beim Glück der Mutter über den Christoph der etwas eingeschüchterte Stolz auf ihn zur Geltung käme, der Christoph war schließlich vor ein paar Tagen noch in Minneapolis und Kansas City. Unsere Puppen sind immer dermaßen ehrlich, sind einfach sie selber, sie brauchen meine Schwester und mich einfach als Sprachrohr, um von sich reden zu machen.

Ich wollte trotz allem unsere Mutter nicht aufwecken, niemals mehr. Die Anstrengung, uns alle im Mittagessenstumult richtig zu verstehen, sah man ihr noch an, und dieses Aufpassen während eines kurzen Zeitablaufs wirkte wie die Konzentration, mit der sie auf ihre lange, von Tod, Trauer, Wiederkehr beladene Biographie geantwortet hat, geduldig fortfahrend, unsere Puppen mit gestrickten Sachen verwöhnend. Meinem Peter hatte ich vor dem Essen schon das Maschenungetüm angezogen, sein Hauptosterei in diesem Jahr. Die glücklich verlaufene Anprobe am Peterchen erschien mir wie ein Stückchen Niederkommen, oder Auferstehen, jedenfalls sah die Familie passend für einen wichtigen Moment aus, und selbst die Lachanfälle übers Peterchen im riesigen Wollkörper und die betroffen schauende Mutter hatten etwas Feierliches. Eine Weste für den Christoph hingegen war nicht so geburtlich, glich eher einem etwas bedrückenden verhärteten, einer Verstopftheit abgerungenen Exkrement. Meine Schwester hatte es dem Christoph als Stola umgelegt.

Dann haben wir den Tanten in der Küche geholfen, jeder hat sich an seine Spezialtante gehalten, wir sind schon als ganz kleine Kinder auf eine Paarbildung ausgewesen, mein Schwesterchen mit der Geigenstundentante, ich mit der Klavierspiel- und Phototante eng und schwärmerisch liiert. Längst sind die Verhältnisse gelockerter, wir spielen das nur noch nach, die früher fest verpachteten Tanten sind inzwischen frei für jede von uns verfügbar, aber ein bißchen unbotmäßig kommt es mir weiterhin vor, wenn ich die Tante meiner Schwester ins Vertrauen ziehe, und es gleicht ein wenig einem Verstoß, wenn meine Schwester sich mit meiner Tante separiert. Wir verdunkelten das Erkerzimmer fürs Nachmittagskino: Gibt's denn neue Dias? Ah, gewiß gibt es zumindest eine neue Mischung der alten Dias, nicht wahr? Wir betrachten also nachher wieder den wirklichen Garten als unwirklichen Park, es wird schön sein, die Witterung zu vermeiden und die Gewächse in einer Kunstform zu bewundern; draußen jenseits der Klappläden lärmt still und vergänglich der kleine quadratische Garten vor sich hin, während wir in der Zimmerdämmerung eine südliche, ungewiß große und wuchernde Wiederkehr vom Gärtchen als einem doch nicht ganz sterblichen Landschaftsgebilde feiern; eine schöne, in undeutliche Ewigkeit gezogene Angelegenheit, diese Bilderosterfeier. In die Diapositive zu Ostern schmuggeln die Tanten, beim Herrichten der Serienkästen, jährlich immer einen Verstorbenen mehr, diesmal den toten Dackel zusätzlich zur Großmutter, und zu einer älteren Frau, die mit der Familie befreundet war, fällt uns kein Name mehr ein.

Zum ersten Mal seit seinem Tod erwähnte diesmal meine

ältere Tante, daß sie sich vorm selbstverständlich schmerz-
lich vermißten, aufs Taurigste verlorenen toten Dackel
immer auch eine Spur gefürchtet hat.

Er war ein böser kleiner Kerl, oft genug, doch, sagte sie.
Ich wartete auf eine erschreckte abergläubische Reaktion
von irgend jemandem aus der vom Tod zurechtgestutzten
Familie, doch kein Einspruch kam, und ich habe mich
weiter darauf konzentriert, dringend zu wünschen, es
würde nicht beim nächsten Aufschimmern eines Dias
unser Vater in irgendeinem verwandtschaftlichen Arran-
gement auferstehen.

Ich bin übrigens einmal vor Angst aus dem Kinozimmer
gelaufen, ich habe mir im Badezimmer mit Hautcreme
meine Haare eingeschmiert, weil ich, auf diese liebesver-
zweifelte Weise, meiner Schwester nacheifern wollte, und
ich bin anschließend durch die Zimmer des sippenmäßig
gealterten, wohlig mitgenommenen Hauses gegangen, ein
Rundweg, auf den ich später meine Schwester mitnehmen
wollte, vielleicht auch unsere Puppen; wir beide haben fast
vergessen, wie das ist, in einem großen, gemeinsam be-
wohnten Haus eigene Zimmer zu besitzen, mit persönlichen Einrichtungsabsichten. So leben die Tanten noch
immer. Ich habe ununterbrochen »Erinnerung an den Tod
von Felix Mendelssohn-Bartholdy« bald gesungen, bald
gepfiffen.

Wo steckst du eigentlich?

Sie riefen nach mir, es war mir noch schlecht vom Mittagessen her, trotzdem bejahte ich wie die andern Kaffee und
Kuchen, ich würde stolz sein auf mein Peterchen und
seinen vor allem für meine Mutter possierlichen zutunli-
chen Appetit: Stell dir das vor, schon ein Drittel von seinen
Ostereiern hat er aufgegessen und gleich wird er trotzdem
sich über den Gewürzkuchen hermachen! Der Christoph

meiner Schwester verhält sich etwas zu erwachsen, nehme ich an, für eine Mutter von Kindern, die am allerliebsten mit Puppen spielen.

Ich beabsichtigte, vor aller Augen nachher gleich dem Peterchen mit einer Haarbürste über den Zelluloidschädel zu fahren, ein bißchen grob, rasch, norddeutsche Art – meine Schwester und ich, wir wetzen an unseren Puppen diese Scharte einer ganz weichen Erziehung aus, lassen den Christoph und das Peterchen die uns selbst erlassene Härte spüren: allen hat das von jeher Spaß gemacht.

Paß auf, nimm dich zusammen, komm zur Vernunft, und werde ab sofort eine erwachsene Person: es wird gleich fünf Uhr am Nachmittag, sieh der Wahrheit ins Gesicht. Es ähnelte nur dem Schlaf für immer, das vorher ganz entrückte Gesicht meiner Mutter hat sich vom Ernst einer Endgültigkeit befreit, und obwohl ich sie nie mehr zu wecken wünschte, ist sie nun auf diese übliche tödliche Art vergnügt, so gut es geht und wie wir andern auch. Meine Tanten fragen meine Schwester und mich in geziemender Vernünftigkeit nach unseren Plänen für die kommenden Wochen. Leider sehr selbstverständlich wenden sie sich auch unseren großen stillen Puppen zu. Der Christoph meiner Schwester spricht zwar nicht laut genug, so daß meine Mutter wieder dieses etwas förmliche, höfliche Gesicht macht wie immer, wenn sie vorgibt, alles zu verstehen, ja, zwar redet er zu leise, aber jetzt redete er vom Flug über den Atlantik. Und es enttäuschte mich, daß mein Peterchen nun, es mußte sich um irgendeine Antwort handeln, deutlich sagte:

Doch, neunundvierzig werde ich, ein halbes Jahr später als du, stimmt's Christoph?

Mutter, rief ich laut, haben wir dir denn das schon erzählt? Ich rüttelte ein bißchen an meiner Schwester und in meinem übereifrigen Unglück fiel mir ein, daß ich doch, so lang meine Schwester noch im Spital lag, fest vorausplante, für immer ein friedlicher dankbarer Mensch zu sein, sofern sie nur gut davonkäme, hör mal, Mutter, auf einem Turngestell für kleine Kinder haben der Christoph und das Peterchen gespielt, deine riesigen Schwiegersöhne, du mußt dir das nur mal bildlich vorstellen, und zwar bei Vollmond.

Schrei doch nicht so, sagte jemand zu mir, und ich hätte sowieso aufgehört, weil ich die glückliche Nacht unterschlagen wollte, den Bodensee, für den sich meine Mutter immer interessiert hat, als meine Schwester und ich noch klein waren und mit Puppen spielten, ein Programmpunkt, Bodensee, den sie nicht mehr erwähnt, seit unsere Puppen große Ehemänner sind und wir allein verreisen können.

Zwei Frauen im Spiegel

Also ich persönlich, ich kann mir nicht helfen, aber ich habe nun mal alle diese Probleme nicht, sagte Anja Lenz zur ungefähr gleichaltrigen Frau Feiertag. Zu Margret Feiertag. Die beiden Frauen waren im Verlauf des neuen Gymnastikkurses in einen freundschaftlichen Zustand geraten. Doch immerzu störte so eine leichte Verkrampftheit, selbst nach einer Stunde Lockerung; Druck und Last von Wettbewerb, in dem es nicht darum ging, wer mit seiner Muskulatur und seinen Gelenken besser zurechtkam. Sie hatten nie darüber gesprochen, aber in der von Mittwoch zu Mittwoch sich steigernden Zutraulichkeit, mit der Frau Feiertag – Margret! – ihr zur Begrüßung entgegenlächelte, erkannte Anja Lenz sozusagen ihren eigenen Wunsch wieder. Sie sollten einander näherkommen. Und das Preistreiberische zwischen ihnen mildern. Sie wollten zwar noch dabei bleiben, sich per Sie anzureden, aber mit den Vornamen.

Vielleicht hat es ja damit zu tun, daß ich zwei Söhne habe, ich meine nur so, man macht so einiges mit, könnte abhärtend sein, oder? Anja Lenz, wenn auch auf diese Wärme zwischen ihr und der anderen weiblichen Person aus, empfand sehr wohl, daß sie schon durchs Heraufbeschwören von echten, eigenen, fürs Leben stählenden Söhnen wieder einen mißgünstigen Vorteil buchte. Ich kenne Mütter, die anders drüber denken, sagte Margret Feiertag. Ich höre mir da Dinge an, die mir nicht gerade die Tränen der Sehnsucht nach Söhnen in die Augen treiben.

Prima gelungen, diese Anführungszeichen um die Söhne

herum! Anja belästigte plötzlich eine Art von inwendigem Erscheinungsbild, auf dem Mischa und Leo sich als zwei lahme langweilige Übergrößen in die Polstergruppe flegelten, zu Besuch bei den Eltern, wozu ihnen allen ja auch überhaupt nichts mehr einfiel, so daß demnach dieses Innenfilmchen eine Wahrheit verkündete.

Ich bin trotzdem für Authentizität, Margret.

Man liebt sie vermutlich, als Mutter, ich nehme an, daß es das ist, Anja.

Die ersehnte Herzlichkeit fand nur noch in der Aussprache ihrer Vornamen statt. Anja Lenz streifte ihr kornblumenblaues Oberteil über die kurze Frisur. Als Originalblondine schaffte man leichter den Übergang Ergrauen, dachte sie bei aufkommender Zuversicht. Man sah, mit ungewiß gemasertem Befund, doch mehr nach freier Wahl und selbständiger Entscheidung aus. Beim Blick auf die seit dem Wochenende zu glanzlos und zu eindeutig schwarz gewordenen Haare von Margret Feiertag gewann sie diesen heiklen Mut zu sich selber, der mit den Schwachheiten anderer eng verknüpft war. Und warum überhaupt hörte sie so gern zu, wenn die Gymnastikgefährtin ihr berufliches Leid klagte? Kompensierte das ein wenig am Status einer Hausfrau herum? Sie hatte Leben geboren, sie war Mutter zweier Söhne, durch sie war die Menschheitsgeschichte fortgesetzt worden, aber Margret Feiertag hatte einen Beruf. Hatte Streß und gab eine Einkommensteuererklärung ab.

Vielleicht ist es auch nicht das Geschickteste, als Oberstudienrätin ›Feiertag‹ zu heißen, sagte Anja Lenz jetzt, und schob MARGRET etwas verspätet nach.

Ach, tolerant sind sie durchaus, eher viel zu gleichgültig, um wegen so was in Stimmung zu kommen, Anja, sagte Margret Feiertag.

Tut mir leid, sagte Anja Lenz, aber ich komme nun mal prima aus mit der Jugend.

Ihre Söhne, das ist noch lang nicht DIE JUGEND, sagte Margret Feiertag. Übrigens, die lesen ja diesen querköpfigen Philosophen, Feyerabend, schon davon gehört?

Auch Margret Feiertag vergaß es offenbar, daß sie, ohne Absprache, nett zueinander sein wollten. Anja Lenz wurde betrübt und mit dem Umkleiden fertig. Natürlich natürlich, sagte sie. Und Marcuse, oder nicht?

Wovon es zwei gibt beziehungsweise gab, sind nicht mehr so in, sagte Margret Feiertag, der gar nicht aufzufallen schien, daß der Friseur ihr Haar verpfuscht hatte.

Wenigstens habe ich nicht das Krampfaderproblem, wenn auch das mit der Jugend. Sie haben damit zu tun, was Anja?

Das ist mehr ein Verödungsproblem, sagte Anja. Margret!

Ja, ja bitte? Anja?

Ach, nichts Margret.

Zu Hilfe, Margret! So weit dürfen wir es nicht kommen lassen! Einer richtigen Klage-Arie hörte Anja bei sich selber zu. Die sang sich da im Bewußtsein ab. Ekelhaft, daß sie trotzdem, einem Trieb folgend, weitermachte:

Welchen Friseur müssen Sie dafür verklagen, Margret?

Margret Feiertag verstand die Gestensprache sehr gut, Anja Lenz konnte das von ihrem Gesicht ablesen, aber sie stellte sich ahnungslos.

Was denn, wieso? Anja?

Nun, Margret, er hat Ihre Haare auf dem Gewissen.

Das fand ich bisher gar nicht, Anja, wirklich nicht.

Margret Feiertag betrachtete ohne besondere Scheu ihr vom Turnen noch frisches, ein bißchen zu frisches, zu gut durchblutetes, eben leicht rotes Gesicht im schmiedeeisern gerahmten eiförmigen Spiegel.

Es handelt sich nicht nur um die Farbe, Margret. Es ist auch die Struktur. Diese ganzen Chemikalien, sie sind nicht ungefährlich. Aber gut, wenn Sie zufrieden sind . . .

Bin ich, bin ich, Anja.

Fabelhaft, Margret. Kann sein, daß ich extrem reagiere. Was auch auf die Söhne zurückginge, nicht wahr, ich meine, man setzt sich in jeder Minute der öffentlichen Kritik aus, als Mutter.

Sagten Sie nicht mal, daß die zwei nur noch so selten auftauchen, Anja?

Oft genug fürs Kontrolliertwerden, Margret. Gehen wir?

Beide Frauen lachten sich bis zum Verabschieden so durch: das jedenfalls war Anjas Eindruck von sich selber, und der Mittwochabendfreundin schien fast genauso zumute zu sein, nur wirkte sie doch etwas unschuldiger, etwas unmittelbarer. Es war so schade um die Gelegenheit, jemanden gern zu haben. Und gern gehabt zu werden. Und schrecklich schade auch um das Befreiungsgefühl von körperlicher Schwere, wie es sich für die Mittwochabende gehörte. Anja wollte auch heute nicht die Empfindung verpassen, Inhaberin eines doch immer noch zu allem befähigten Organismus zu sein. So sei's und darum: Schluß mit den Empfindlichkeiten, und keine Sticheleien mehr, armes Anjachen, kommandierte es in ihr.

Es ist wirklich kein Problem, diese Dinger veröden zu lassen, liebe Margret: Anja Lenz sprach mit sich selber, während sie den dunkelblauen Austin Mini durch die stillen angenehmen Anliegerbereiche des Südviertels chauffierte. Gleichzeitig prägte sie sich die Topographie der defekten Straßenlampen ein. Es machte ihr immer so viel Spaß, wenn Gottfried Lenz, als grundsätzlich empörter Steuergroschenmissionar und ihr Ehemann, deswegen oder von anderen städtischen Mängeln angefeuert, mit

irgendeinem Amt telefonierte. Veröden, veröden. Wahrhaftig, die Krampfadern gehörten mit zum Besten, was so
anlag. Anja sah nicht ungern voraus, vom elften des
nächsten Monats an wieder ein paar Tage im Klinikum
St. Leonhard ausruhen zu können.
Und den Mini würde sie nicht mehr lang durch die Gegend
kutschieren. Ha! Das wäre nächsten Mittwoch ein Ge-
sprächsstoff, hochreißend, ein belebendes Thema. Als
Mutter verfügte man eben doch über nicht nachzuahmen-
de Chancen, sich bei der Jugend beliebt zu machen. Oh
doch, es gab noch Temperament und Überschwang, nur
galt es, Wege zu erforschen, die sich durch diese Steppen-
gebiete von Lust- und Launenlosigkeit zu Quellen, zu
Oasen hin bahnten. Anja Lenz gedachte ohne besondere
Wärme ihres eigenen rodenden Pfads, der zunächst einmal
am Schlinggewächs Ehepartner, Gottfried, Pfennigfuchser
blockiert worden war.
Zu irgendwas Greifbarem sollte Tante Julies Erbe doch
führen, finde ich wenigstens. Vielleicht hatte Anja sogar
ganz wie in ziemlich guten alten Zeiten FRIEDEL zu ihrem
Mann gesagt, dem jedoch alle möglichen fest- oder leicht
verzinslichen Papiere und Pfandbriefe greifbar genug waren. Ich hätte es so schrecklich gern, wenn Mischa schon
dadurch Tag für Tag mit einer gewissen Innigkeit an seine
Tante dächte, daß er sozusagen ihr Auto, denn es wäre ja
dann quasi ihres, anlassen würde und fahren und auftan-
ken und so weiter. Anja Lenz hatte außerdem zu erwägen
gegeben, daß sie selber längst in die Jahre für ein etwas
komfortableres Gefährt gekommen sei.
Liebe Margret, es ist einfach schön, wenn man eine Bombe
wie diese explodieren lassen kann. Dann erlebt man ihn
selbstverständlich noch, den frischen Impuls, mein Mischa
und ein eigenes Auto, du lieber Himmel, und ich stelle mir

vor, daß eine aufweckende Wirkung für unsern guten, nur leider allzu bequemen Leo dabei noch mitrausspringt.

Den gesamten Umweg über Gottfried lasse ich weg, nahm sie sich vor. Die paralysierenden Einlassungen, damals, als ihr die Idee gekommen war, als sie angekündigt hatte: Du, ich verschenke den Mini an Mischa. Noch schrecklich gut und stimmung-auslöschend erinnerte sie sich an sein: DAZU GEHÖREN ZWEI. Seine ganzen Dividiereien würde sie Margret Feiertag gegenüber unterschlagen. Einer ahnungslosen, schwangerschaftslosen, frei verfügenden Person würde doch sie, ein Familienzentrum, nicht den Appetit auf das allseits begehrte Ereignis der Partnerschaft verderben. Auf verwandtschaftliches Gezeter und Gezerre, die liebe heilige schöne Kommunikationsfolter. Ach, Gottfried, er war schon ein bisweilen alles Strömende abbremsender Finanzamtsheini, ein Stauwehr, eine Reuse, die ihre paar verbliebenen Luststrudel abfing, ein richtiger Sparkontenguru, und wären Mischa und Leo nicht so taubblind, taubstumm, man bekäme besser heraus, ob sie nun was von ihres Vaters Depositen- und Anleihensinn mitbekommen hatten oder nicht. Anja Lenz hörte bei der 5. erloschenen Lampe mit dem Zählen auf. Ein Veröder, dieser ehemalige FRIEDEL. Aber sie hatte ihn so weit. Morgen würde sie, in Anwesenheit auch des allzu verdienstlosen und deshalb nicht zu verwöhnenden Leo, Mischa die Eröffnung machen.

Margret, ich bin's nur, Anja Lenz, sagte sie am Telefon, nachdem sie Gottfrieds MUSS DAS SEIN in einer wie ehelosen, einkommensteuerpflichtigen Kaltblütigkeit mit einem blanken, ledigen, schönen, sturen Ja beantwortet hatte. Auch gut nach Haus gekommen?

Aber ja, Anja, ja, das bin ich. Und Sie? Alles in Ordnung? Und wie, Margret. Mir fiel nur auf dem Heimweg ein, ich meine, weil diese Jugendproblematik unser Thema war, daß ich – daß morgen – ich wollte sagen, ich könnte Ihnen ein Beispiel liefern, oder besser, Sie könnten mal zuschauen . . .

Was ist los, Anja, fragte Margret Feiertag, und so auf die nette Art von Gymnastikfrau zu Gymnastikfrau interessiert klang sie gar nicht. Sie sind aufgeregt, oder? Anja?

Ach was, ich bin nur lebhaft, Margret.

Eins habe ich gelernt, man muß sehr ruhig mit den Jungen sein, ganz und gar ruhig, am besten, wie kurz vorm Einschlafen. Fast nichts reden, Anja.

Anja Lenz erwiderte, bei tiefer und tiefer sinkendem Mut, und ihr Mund war auch plötzlich so ausgetrocknet:

Margret, kommen Sie morgen gegen fünf Uhr nachmittags bei uns vorbei und ich zeige Ihnen einen absolut temperamentstrotzenden jungen Menschen. Gewiß, er ist normalerweise auch eher – sagen wir stoisch, das trifft es vielleicht. Man kann aber auch die Allerruhigsten aus der Reserve locken. Schauen Sie zu, wenn ich ihm diese Überraschung verpasse: ich schenke ihm nämlich mein kleines Minichen, Sie kennen's ja, und ich hänge an ihm, aber es soll sein.

Soll sein, soll sein, brummelte Gottfried Lenz, soll auch sein, daß der kleine nagelneue Polo schon bereitsteht, hm?

Mischa Lenz, im zweiten Jahr mit einer Rekordhalterin in Gleichmut und Schweigsamkeit auf dem Ehe-ohne-Trauschein-Trip, sah am Donnerstag doch wieder etwas unvergnügter aus als seine Mutter ihn in ihrer Gemütskartei führte, aber während er noch aus einem Bart, der aufgeweichten Weizenflocken glich, auf den etwas zu imperativ geäußerten Wunsch seines Vaters hin Apfeltortenreste wischte, mit müder Ergebenheit, frohlockte Anja schon seiner alsbaldigen Erweckung durch ihre Botschaft entgegen. Und dann traf auch Margret Feiertag ein, mit diesem Grund zur Schadenfreude auf dem Kopf, dem wie mit Schuhwichse eingeschwärzten Haar: die beiden jungen Leute würden das mitleidig erschöpft registrieren, dessen war Anja Lenz ganz sicher. Junge Leute schätzten die Anstrengungen älterer Leute, natürliche Prozesse zu vertuschen, überhaupt nicht. Junge Leute waren immer fürs Altwerden. Sogar Leo, der noch weniger sprach als Mischa, hatte vor einigen Jahren zu seiner Mutter gesagt:

Ich find's nicht gut bei dir, daß du diese Dinger trägst.

Anja Lenz war sich damals in Jeans und T-Shirt keck und frisch und zeitlos vorgekommen. Kränkungen wie diese saßen, vor allem bei jemandem, der sich nicht nur um seiner selbst willen darum bemühte, mitzuhalten, auch im Wortschatz. Anja Lenz gewöhnte sich sehr leicht an Ausdrucksweisen.

Wenn das nun nicht echt Klasse ist, stell dir vor, Mischa, dich als Autobesitzer, stark was?

Weil so schnell denn doch keine Reaktion zu erwarten war, wandte Anja Lenz sich nahtlos zu Margret Feiertag und sagte:

Erinnern mich immer an Bran Buds, seine Haare im Gesicht, übrigens, auf Bran Buds verzichte ich neuerdings, ich beiße mir sämtliche Füllungen mit den Dingern aus dem Gebiß.

Dann müssen Sie zum Zahnarzt, aber schleunigst, Anja. Vor einem Zahnarzt gilt so ein Verzicht nicht. Wenn es nach dem Zahnarzt geht, müssen wir Zähne vorweisen, die alles leisten können.

Gott sei Dank habe ich sie nicht vererbt, schlechte Zähne, sagte Anja Lenz.

Und du hast überhaupt nichts vererbt, nicht mal schlechte

Zähne, du Opfer der Kosmetikbranche! Im inneren Dialog mit Frau Feiertag duzten sie einander, denn DEINE TROSTLOSEN SÖHNE GEHN MIR GANZ SCHÖN AUF DEN GEIST hörte Anja jetzt als unausgesprochene Antwort. Sie sahen nicht glücklich aus, ihre armen Kinder da. Ihre Hautfarbe paßte sich trüber Wäsche an. Sie schienen eine lebenslängliche Wette im Erloschensein abgeschlossen zu haben. Warum waren sie nun eigentlich auf der Welt, diese zwei, sie machten die Welt nur noch ein bißchen uninteressanter, beziehungsweise den Platz um sie beide herum, den infizierten sie mit Uninteressantheit. Meine zwei armen Kinder! Zu euch ist mir doch einmal gratuliert worden! Für Mischa bekam ich den Smaragd, für Leo den Topas.

Freut Ihr euch eigentlich oder wie? Anja Lenz fand sich aufgeschlossen, weil sie in ihre Frage Mischas in sehr viel Wolle vermummte und ungewiß monströse Bezugsperson einbezog.

Wir müssen das natürlich erst mal durchrechnen, sagte Mischa.

Wie meinst du das, sagte Anja Lenz, während sie anfing, die Einladung an Margret Feiertag zu bereuen.

Unkosten, Aufwand und so weiter. Ob wir das Auto nun als Gewinn betrachten können oder ob's ein Verlustgeschäft wird, sagte Mischa.

Okay, rief Anja, sah keinen Sinn darin außer demjenigen, schnell und modisch auf Draht zu sein.

Das sagt man dreimal hintereinander, Anja. Margret Feiertag machte es ihr vor: Okay okay okay. Machen Sie sich nichts draus, sie meinen es nicht böse, aber ich erlebe die Jungen tagtäglich eben genau auf diese Weise, und nicht mal ein Autogeschenk reißt sie vom Stuhl.

Wieder war die Gymnastikstunde um. Das schwarzgefärbte Haar von Margret Feiertag wirkte, offenbar nach einer Behandlung mit Trockenshampoo, nicht mehr so einhellig. Sag ihr das, riet Anja Lenz sich, sag ihr was Nettes. Es geht um Gemeinsamkeit, es sollte was Herzliches zwischen Menschen sein, irgendwas Lohnendes! Los los, mach einen Liebesanfang.

Sie waren verlegen, alles understatement, vor allem, wenn Fremde dabei sind, bei einer solchen Szene, Margret, tut mir leid, aber es war nicht besonders schlau von mir, Sie dazu zu bitten.

Ach ja?

Leider. Leider, Margret, und sie haben mir das nachträglich auch gestanden. Nichts für ungut.

Schon in Ordnung.

Sie fahren sowieso am liebsten Rad, jedenfalls meine Söhne, sie sind ziemlich politisch, wissen Sie?

Das ist doch prima, Anja. Sie sollten einfach viel viel ruhiger werden, glauben Sie mir, wie im Halbschlaf, Sie hätten so tun müssen, als könnten Sie es kaum aussprechen vor lauter Gähnen. Margret Feiertag machte Anja Lenz jetzt vor dem eiförmigen Spiegel vor, und es stand ihr nicht, wie sie einen dieser Jugendlichen mit komischen erledigten Mundbewegungen simulierte: Wollt Ihr wahrhaftig, daß ich euch ein Auto andrehe?

Auf einmal fand Anja Lenz den spießigen blöden girlandenumrankten Umkleidespiegel so furchtbar liebenswert, so vertrauenerweckend, so stumm und gleichbleibend. Da gab er, nichts verbessernd, um nichts sich anstrengend, ohne irgendwelches Bemühen, Woche für Woche in einfältiger Gerechtigkeit zwei Frauengesichter wieder, Not und Pein, Hoffnung und Neid, still verödend.

Ihr Haar sieht jetzt gut aus, Margret, sagte Anja Lenz.

Man muß sich nur was einfallen lassen, Anja, sagte Margret Feiertag.

Ich fand es auch vorher nicht übel, Margret, es ging mehr um die Struktur.

So ein Tip kann ganz schön nützlich sein, Anja.

Lieber guter saublöder Spiegel, wir machen schon noch weiter. Ob man aber demnächst zum DU-Sagen übergehen sollte, das blieb noch offen.

Mein schönster Tag

Viel hängt davon ab, daß ich Molly heiße, an einem solchen Tag erst recht. Als Molly wecke ich Zutraulichkeit und gleichzeitig bedarf ich des Schutzes, der aber ganz gemächlich und regelmäßig von dir ausgeht. Jetzt treten wir durch die eiserne Käfigdrehtür ein und ich stecke dich mit meiner zuversichtlichen Vorfreude an. Bist du auch so neugierig auf beinah jedes Tier? Ja, Molly, ja du eifrige kleine Molly, das bin ich auch. Die Sonne scheint sehr. Das soll mir heute ausnahmsweise einfach mal recht sein. Ich bin ja dermaßen einverstanden, du. Es ist ein bißchen zu windig. Daß es wahrscheinlich unter diesem Datum einen ziemlich heißen Tag geben wird, könnte sich als nachteilig für den Peter auswirken. Andererseits: erstens ist das hier Berlin und wir wissen nichts von den Wetterverhältnissen im Rheinland. Und zweitens wundert mich meine Dispensierung von sämtlichen Sorgen.

Es ist mit dir so schön. In diesem Zoologischen Garten muß man sofort mit den ganz großen Tieren anfangen, doch laß uns die Spannung steigern und erst mal am Ententeich eine Rast machen. Ich kann jederzeit was im Auge haben. Es fliegt viel winziges Insektenzeug durch die Luft, also kriege ich jederzeit was in die Augen, es kann dauernd stehengeblieben werden, denn du würdest nie die Geduld verlieren, deiner Molly in die Augen zu schauen, einem Flugtierchen, das in meinen Tränen ertrunken ist, auf der Spur. Um mich als Molly ergibt sich ein Klima von Kniestrümpfen und ausgefallener Klavierstunde. Sag noch mal ÄUGELCHEN zu meinen Augen. Sag doch GUCKAUGEN dazu, komm weiter, ich ziehe diese gemütliche Sorte von

Gefühlen auf mich und diese Kindersorte verströme ich auch.

Unser Freund, der Peter, ist offenbar wirklich tot. Er hat ja nicht selber irgendwann nach der Todesmitteilung plötzlich doch, wie erwartet, telefoniert und uns ausgelacht als zwei auf seinen schwarzen Scherz Reingefallene. Ich will nicht, daß du allzu traurig bist. Die Idee, mit der kleinen vertrauenerweckenden Molly in den Zoo zu gehen, halte ich schon deshalb für einen Volltreffer. Wie ich den Peter kannte und weiterhin kenne, hätte er selber ganz ähnlich gegen das Unglück gespielt, mit einem Einsatz wie diesem. Ach oder doch nicht mit einem so kindlichen, da ihm keine Molly zur Verfügung stand. Was wir hier machen, ist besser als Saufen, Pillenschlucken, Joints rauchen. Wir werden die Eintrittsgebühren voll ausnutzen und bis zur 19-Uhr-Schließung bleiben. Ich weiß schon, was ich am Abend mache. Willst du nicht wissen, was ich da mache? Es paßt so gut, daß du es nicht dringend wissen willst, nur beiseite stehend wie ein Vater, der die Kinderangelegenheiten gern und zerstreut zwischendurch in sein erwachsenes Bewußtsein sickern läßt. Und was ist es denn, Mollylein? Es ist ein Schulaufsatz. Er geht über alles, was wir für heute vor uns haben. Es wird unglaublich schön heute. Ich schreibe das völlig freiwillig, denn ich habe nichts auf. Der Aufsatz wird »Mein schönster Tag« heißen. Du lobst mich so wohlig nebenbei und die nächsten Schritte gehe ich als DEIN BRAVES mit dir weiter.

Die Elefanten wirken von Anfang an grundsätzlich benachteiligt. Irgendwas Schmerzlich-Lebenslängliches ist mit ihnen los. Aber so einen Einfall wie den vom Peter können sie nie haben. Man kennt das größere Elend der Elefanten, bevor man die anderen Eingesperrten gesehen hat, meinst du nicht auch? Doch, ja, könnte sein. Passen denn solche Gedanken zur zutraulichen rundlichen vergnüglichen Molly? Doch, auch, durchaus, denn sie ist ganz gern nachdenklich und ein bißchen melancholisch, altklug ebenfalls. Ob denn die Tierforscher wirklich dessen sicher sind, daß die Tiere kein Zeitgefühl haben? Wer behauptet denn das? Denk doch mal an die Zugvögel. Aber ich möchte schon, daß wenigstens diese Elefanten hier gar kein Zeitgefühl haben. Es wäre ein Trost. Ich hätte dann doch ein besseres Gewissen. Und es ist ja auch für die Elefanten gesorgt, ich meine, sie haben nicht das Ernährungsproblem. Weißt du noch, neulich im Fernsehen der Freizeitforscher? Wie er gleich so verhaßt war, beim ganzen Studiopublikum? Die Politikerin wollte die Einstellung zur Arbeit ändern. Sie und die übrigen Teilnehmer an der Diskussionsrunde empfanden ihre Arbeit als Freizeit, Glück, und nur der Freizeitforscher mit seiner Weigerung, nun endlich auch gegenüber der Angst vor Leere und Öde zu erblinden, blieb unbeliebt und ausgesperrt. Auf ihrem kleinformatigen, dunkelgrau-staubigen Gelände stehen die Elefanten schwankend herum, tödlich erschüttert von der Erfahrung einer Langeweile für immer. Empfinden sie denn die Langeweile überhaupt? Ich glaub nicht, nicht so wie Menschen, Molly. Du mußt nicht BERUHIGE DICH hinzufügen, denn du weißt, daß ich gern etwas betrübt bin. Es war wohl auch Langeweile, beim toten Peter, er hat zu viel dagegen versucht, und dann waren auch die Todesexperimente schließlich nur noch langweilig, oder? Aber Angst muß er gehabt haben. Unfall oder Selbstmord, die Obduktion soll das klären. Die Leiche ist beschlagnahmt. Was in unserem Freundeskreis doch alles passieren kann. Er war doch ein guter Spielkamerad, der Peter. Sind denn alle, und auch wir, ihm doch aufs Ganze gesehen zu langweilig gewesen? Der eine Elefant, schau, der da, hat sogar schon das Schwanken aufgegeben. Sein schlafloses Gesicht sieht aber nur deshalb traurig aus, weil wir Besucher nach unserem menschlichen Maß schauen, nachdenken, urteilen. Das ist nichts weiter als ein Elefantengesicht. Würde doch diesem Elefanten wenigstens die Rüsselbewegung einfallen, mit der sein Kompagnon sich offenbar ganz gut ablenkt. Es ist ja auf der Welt nicht von selbst einfach schön. Du und ich und der Elefant mit der Rüsselbewegung, für die er immer wieder ein paar Lacher der Besucher abkriegt, wir machen uns das Schöne dauernd zurecht. Der Peter hat das vielleicht in dieser mörderischen Unfallnacht nur auch wieder probiert. Ich glaube nicht, daß er wegwollte. Andere Tiere – einige unter ihnen, manche sind zu ihrem Glück sowieso beinah unaufhörlich müde – scheinen sich leichter was vormachen zu können. Schau nur, wie ich doch die eifrige, auf beinah alle Tiere richtig gespannte, dickliche kleine Molly bin! Wie ich mich drauf einlasse! Wir sind ja so freigeschrieben, wir zwei, mitten im allgemeinen großen anbrandenden Kummer. Wie stellst denn du dir die Ewigkeit vor? Paß auf, sei die Molly, und vergiß nicht, daß du bald Geburtstag hast, ja? Deine kleinen Kompositionen, alle in Moll, alle melodisch, sollte einer doch eines Tages mal aufschreiben. Alle dem Vergessen entreißen. Alle Opfer sind, von rückwärts besehen, besser dran als die Täter. Mein Bruder, der bürgerliche, gewissenhafte, dieser vor lauter Mißtrauen von keinem Suchtstoff zu verlockende Bruder, der könnte das machen mit dem Festhalten der Molly-Lieder in Notenschrift. Mein Cousin, ich sag dir das nur an einem so kindlichen Tag wie dem heutigen, ich sag dir das nur mitten in einem Zoologischen Garten, der könnte das jederzeit nachts so machen wie der Peter und aus Versehen absichtlich plötzlich dahin sein, einfach dummerweise dann nicht mehr dazu imstande, uns alle doch noch per Telefon auszulachen. Halt mal, ich hab schon wieder was im Auge. Fisch es mir raus, bitte. Ich möchte gern, daß es etwas weh tut: du hast mich ja so herzlich gern. Du hast mich ganz wie von selbst so gern, wir haben gar keine Wahl, wir müssen uns so schrecklich gern haben. Als Molly ziehe ich den Bauch nicht ein, ich bin mit rausgestrecktem Bauch noch beliebter, auch rühre ich dich so und habe jetzt Hunger. Ich bin nicht neidisch auf das Kind mit der Lockenfrisur, ich bin jetzt gern so glatthaarig, wie es zu mir paßt, aber es ist ein bißchen schade, daß mir keine altmodische Schleife auf dem Kopf thront, und wir reden jetzt davon. Damit, mit einer großen Schleife, hättest du mich noch lieber, oder nicht? Ich hab dich lieb genug. Und mit Locken? Wirst du mir wieder Locken machen? Du hast mich lieb genug. Ich soll nicht immer mehr wollen. In der Ewigkeit, wenn man alle längst Gestorbenen zu den Sterbenden zählt, und alle Tiere außerdem, endlos zählend, müßte ein entsetzliches Gedrängel sein – also: was soll ich denken? Ich bin ja derartig zufrieden heute. Du bist über mich gerührt genug, doch eine Spur gerührter, wie ich da jetzt zurücklaufe, weil ich den Eiswagen von vorhin nicht allein gefunden habe. Sag mir den Weg doch nochmal. Doch, diese Selbständigkeitsprobe in einem Kinderleben muß nun sein. Die Bären läßt du links liegen. Gehst zunächst noch geradeaus. Dann am mongoloiden Gärtner vorbei, paß aber auf seinen langen Gartenschlauch auf, tritt nicht zwischen die Schlingen, der Gärtner ist ganz freundlich, aber ein Wichtigtuer. Das simulierte Grönland mit den Eisbären liegt nun rechts von deiner Wegstrecke. Weißt du schon, welche Sorte du haben willst?

An manchen Stellen ist der Zoo wie ein Wald, findest du nicht? Mir als Molly ist die Sonne immer weiter so recht

und der Wind ganz willkommen, jede Zutat wirkt freundlich, was ist denn das nur, woher stammt denn das ab, es
wirkt ja so einfach, ich gehe doch nur, stundenlang auf den
Beinen, ich bin so bescheiden, kaum eitel, kann dick sein,
mein ernstes vergnügtes Gesicht, das ist ein Gesichtchen,
es schaut so viel Stirn raus, ich will alles so lassen, nichts
ändern, es kann alles so bleiben, wie es von selbst ist, das
erkenne ich kaum wieder.

Auch diese Bank ist ideal. Wäre nicht jede Bank günstig?
Ich feiere sowieso jeden Platz, den wir zwei für uns finden.
Jetzt sage ich dir etwas ganz Wichtiges: Du, ich will heute
abend mit dir allein bleiben. Ich will nicht nach so einem
Zoo-Tag zu den erwachsenen Leuten von der Party. Ich
will doch meinen Kinderaufsatz schreiben. Von den Tieren geht eine friedenstiftende Wirkung auf die Menschen
über: soll ich das schreiben? Kommt das von der Neugier,
von dem Mitleid, von der unbekannten Ewigkeit? Gibt es
was zu lernen? Wir waren so lang nicht mehr im Zoo. Der
eine Zeigefinger vom Papst wurde zerschossen. Minister
sind häufig auf der Stelle tot. Der Peter war möglicherweise stundenlang noch nicht tot, aber am Morgen durch
keinen Freund mehr zu retten. Auf Zootiere wird überhaupt nichts verübt. Es ist uns in Vergessenheit geraten,
wie still und freundschaftlich die Zoobesucher auf die
Tiere schauen. Die Tiere schauen aus einer vielleicht
kriminellen Vorvergangenheit auf die Besucher zurück.
Krankenhausbesucher sind viel aufgeregter. Die Angehö-
rigkeit der Krankenhausgäste ist noch nicht so entrückt,
erst später, in einem Zoologischen Garten, kann über das
allermeiste geschwiegen werden. Wäre nicht dieses Fütte-
rungsverbot, dann entstände in der Langweiligkeit für die
Tiere doch eine gewisse Unterbrechung. Es wäre schon
etwas gewonnen, wenn sich auf Übelkeit, Erbrechen,

Kolik hin als Abwechslung dann Wohlbefinden, ein neues Erlebnis, ergäbe. Du hast es nicht so gern, daß ich das behinderte Kind beobachte, also suchen wir uns eine andere Bank. Vorhin freute ich mich verwundert über den Mann, der zu seiner kleinen Familie am Gorillakäfig in aller Ruhe, ohne Furcht vor einer Taktlosigkeit und aus großer ernsthafter Treue sagte: Sieht haargenau wie die Oma aus, der Bursche da. Hat haargenau den Ausdruck von der Oma.

Erstaunlich, findest du nicht auch, wie gern wir dieses Mal sogar bei den ganzen Affenarten ausharren. Eigentlich gibt es fast gar kein Tier, nicht einmal unter den Echsen und den Nachttieren und den Vögeln, das einen nicht an irgendwelche Freunde und Bekannten erinnert. Sie scheinen, in Tiergestalt, allerdings endgültig ihrer Geisteskrankheit erlegen zu sein. Es war Zeit, sie in Verwahrung zu geben. Einige Affen sehen in ihrer Depression gefaßt aus, sie haben begriffen. Kleine katzenköpfige Mardersorten hingegen hüpfen ratlos in ihrer Panik herum. Viele Tiere sehen wie Häftlinge aus. Sie denken ohne Lust an ihre Verbrechen zurück. Als Nilpferd möchte ich noch weniger Bauchweh haben als so schon. Die Tiere scheinen einfach früher als die Menschenverwandten an der Reihe gewesen zu sein. Sie blicken uns lang an, nur wenige noch flehentlich, nur wenige umfassen die Gitterstangen, die Ungenierten betteln. Zu brüderlich, um uns wortreich einzuweihen. Das blüht euch noch. Man hat sie schon vor uns geschnappt. Das sage ich dir nicht. Dir sage ich, als die vertrauliche und angenehmerweise etwas melancholische Molly, nur die nicht kränkenden, nicht angstmachenden Sachen. So was zum Beispiel: Wenn wir erst wieder zu Haus sind, will ich neu anfangen mit dem Klavierüben. Demnächst lade ich dich ein, um dir mein Bravourstück, den WASSERFALL vorzuspielen. Ich werde, in einem altmodischen Matrosenkleid, ungeschickt dabei aussehen. Oh wie lieb du mich haben wirst. Mein Geburtstag kommt und kommt. Wieder ein Wunsch wachgeworden? Was wäre mit Rollschuhen, mit dem Matrosenkleid, mit den Noten vom WASSERFALL? Ich ginge so gern in den Zoo mit dir, aber das können wir so bald nicht wieder tun.

Das ist ein Tag ohne Feindseligkeit. Das Gelände ist ohne Mißgunst. An deiner Hand wage ich mich sogar dann doch durch den Vogelfreiflugraum. Was für eine sakrale Stille! Ich werde gleich noch ein zweites Mal dorthin wollen. In dieser Kirchenstimmung mit dem Glockenvogel und dem feuchtwarmen Gewächsatem arbeitet ein junger Bursche, der wieder so eine Version von meinem unvernünftigen Cousin ist. Im Freiflugraum macht kaum ein Vogel Gebrauch von seiner Bewegungsmöglichkeit. Das Dolchstoßtäubchen hat uns zuerst wirklich erschreckt, aber das ist kein Blut, die zerflossene rote Farbe auf seiner Brust ist Gefieder. Wir können meinem jungen Cousin mal davon erzählen. Wir sollten das tun, ehe es mit ihm so kommt wie mit dem toten Freund, dem Peter. Wir müssen den Angstexperimenten zuvorkommen. Manche Leute kann man noch zurückholen, oder nicht? Wäre denn das klug? Warum sind wir so mitleidig, wenn einer stirbt? Was ist denn nur los mit der Ewigkeit? Ist sie denn nicht schön genug? Ist es denn zu schön hier, im Zoo gewiß, im Vogelfreiflugraum ganz sicher, aber Ewiges Leben müßte uns doch viel mehr verlocken.

Wieder bißchen ausruhen, komm Molly, deine stämmigen Beinchen müssen ja müde sein. Kein Mittagessen, an das ich mich erinnern kann, dem ich so überglücklich nachtrauern werde wie diesem mit dir im Vorhof vom Blockhüttenrestaurant, und mir wäre jede Kombination recht gewesen, mit der du zu mir an den Gartentisch kamst, das Selbstbedienungstablett in den Händen. Eigentlich müßte ich jetzt Limonade wollen, aber ich mache es mal wie die Erwachsenen und wünsche mir Kaffee. Etwas zu erwachsen war es mir, aber ich konnte nicht widerstehen, den blassen Mann am Nachbartisch zu belauschen. Der blasse Mann erzählte einer sehr unbesorgten, gesunden Frau, die ihn mit einem Lion-Riegel fütterte, wie es in der Klinik zugegangen war. Er nahm einen Anlauf und sprach seine Befunde wie unanständige Wörter und etwas drohend aus, sah erschrocken die Frau an, die unbekümmert blieb, und in ihm den Mann von vor der Operation doch noch erkannte. Er aber war es nicht mehr. Wenn man ein Kaninchen am Nackenfell zwei Stunden lang hochhält, erzählte der Mann, dann krepiert es. Ich sage das nur, um klarzumachen, was das Herz leisten muß, jedesmal beim Übergang aus der Horizontalen in die Vertikale. Iß was, iß was, sagte die Frau, ehe ich aus dieser Observierungsab-trennung zu dir zurückkehren konnte. Komm, weg von hier, denn ich will nur wieder diese übersichtlichen, in den Zoo eingesperrten Kinderwünsche verspüren, nur die Kurzstreckenhoffnungen, Wegbiegungsentfernungen, ich möchte so eingezäunt mit dir bleiben, komm weiter. Ich rede wieder meine Kindheitstexte aus dem Mollywörter-buch. Du antwortest mir in der väterlichen Geduldsspiel-sprache. Die Gehegeförmigkeit der gesamten Zoo-Anlage wäre mir so recht als Sinnbild für dein Leben mit mir. Nach diesem Gartenkonzept zu leben, wäre einleuchtend. Zu einfach wäre es gar nicht. Man kann sich nämlich sogar verirren. Vom Eintrittzahlen bis zur Abendschließung bei ruhiger voller Auskostung neben dir her: eine schöne, vernünftige Daseinsentscheidung. Laß uns doch am Abend nicht unter die Menschen gehen. Sofort, wenn wir zwei nicht mehr mit uns allein sind, beginnt ein Verrat. Besser, wir bleiben im Zoobereich untergebracht, gut eingeschlossen. Alle Sorgen sind mit allen Aggressivitäten draußen, beim Verkehr, das Glück jetzt ist wie der Zoo selber eine Verkehrsinsel, achte doch mal drauf: sind sie nicht kaum zu hören, die Geräusche des Unglücks.

Soll ich »Glauben ist das Rebellieren gegen die Ungläubigkeit« schreiben, in den freiwilligen Aufsatz, vielleicht für die Religionsstunde, und vom Freiflugraum erzählen? Ich würde den Aufsatz ja nur schreiben, weil ich vom heutigen Tag etwas abzustatten habe, weil ich ihm eine ungeheuerliche Anstrengung schuldig bin. Ach, nicht so erwachsen, beruhige dich doch. Liebchen, Liebchen, ich will doch nur, daß das nicht endet. Es soll noch nicht aufhören. Es geht mir wie dem eingeschüchterten Klammeräffchen, mit diesem schönen Tag, sieh es so. Komm, laß uns alles alles sehen. Nochmal ins Gartenrestaurant und wieder mit ganz einfachen Wünschen. Mir ist die Kost, die Windigkeit, die Sonnigkeit recht. Ich weiche nicht davon ab und werde meinen schönsten Tag haben. Laß es uns voll nutzen, jetzt im gesprenkelten Laubschatten, ehe es auch uns erwischt. Komm mit, ehe auch wir dran glauben müssen.

Schon vier Uhr nachmittags und der Rückblick ergibt, daß ich kein Mal aufgeregt war, kaum eitel, von Käfig zu Käfig guter Dinge, wir hatten immer noch ein neues Tier vor uns um drei Uhr, wir haben vor halb vier eine Viertelstunde lang beim hungrigen Tiger ausgeharrt, die Ewigkeit ist ein Augenblick deiner Geduld und mitgespielten Neugier auf das Fauchen vom Tiger, falls er überhaupt faucht, falls er überhaupt, wie jemand als Molly bangend hofft, nach der Hand des Wärters schnappt, die Ewigkeit ist ein Augenblick Erinnerung an einen Hügelkamm, wir mit den kleinen Gedächtnisandachtsfiguren der Eltern von damals,

Tee und Halbschatten, die Ewigkeit ist dein Zurücklächeln, dein vorsichtiger kurzer Blick Zuversichtlichkeit, und ist dein Vorschlag, mit mir eine Haarwasserbehandlung auszuprobieren, und dein Satz: Ich verschaffe dir so etwas Ähnliches wie einen Katalog vom Zoo. Und daß ich nicht gesagt habe, wie ähnlich der Brillenträgeraffe unserem toten Freund sieht. Er schien uns einweihen zu wollen. Er brachte seine Erklärung nicht heraus. Daß er überhaupt nicht gelacht hat, war dem Gesamteindruck abträglich. Er wirkte nun zur Ruhe gebracht, einfach durch Käfighaltung, und darin, daß er nicht zu stolz war, vor unseren Augen sein Rohkostmenü zu zerpflücken und über den Steinboden zu verteilen, erkennen wir ja schon diesen Schamverlust wie bei den übrigen Toten. Es bedrückt mich nichts, wirklich gar nichts, aber nur bis 19 Uhr. Kaum stehen wir auf der Straße, da versuche ich auch schon, wie jemand anderes auszusehen.

Es geht nicht, sagte ich, jetzt wieder als Molly, abends nach der Party. Ich glaube, es war im Zoo zu schön zum Beschreiben.

Das ganze Hotelbriefpapier war mit Anfängen des freiwilligen Schulaufsatzes verbraucht. Die Überschrift hieß jedesmal MEIN SCHÖNSTER TAG. Es fehlt der Mißgriff, der falsche Ton! rief ich dir zu.

Dann erinnere dich doch dran, wie ich angeblich so unfreundlich zu dir war, weil du mit dem Typ am Buffet rumgeschäkert hast, schlugst du mir vor.

Du hättest das lieber gar nicht gesagt. Ich aber fühlte deinen Beistand, dein Opfer. Schreibstoff, Schreibstoff! Die Einbuße! Du redest nun weiter, willst nützen: Und nimm den Haltewunschknopf im Bus dazu! Da habe ich dich doch geschimpft, oder nicht, weil du nicht kapiert hast, wie man ihn bedient. Du hättest doch beinah die

Leuchtschrift HALTEWUNSCH überhaupt nicht verstanden!
Wir hätten werweißwieweit zurücklaufen müssen! Du als
Molly, mit kurzen Kinderbeinchen!
Es ist Liebe, Liebe zum Ersticken. Zurück, zurück in den
Zoo! Erbarme dich aller meiner Lebensjahre und laß mich
wieder das Molly-Kind spielen. Ich könnte Lust bekom-
men, mir diese Schulaufsätze ganz abzugewöhnen, vor
lauter schönsten Tagen.

Tönungswäsche

»Nehmen Sie sich eine Dreiviertelstunde Zeit«, las Elsie Sommer sich halblaut vor. Eine großartige Idee. Die Überschrift der Gebrauchsanweisung stimmte sie zuversichtlich. Gewiß hielte dieser Fund von einem Unterschlupf mit Namen Tönungswäsche sowieso erheblich länger dicht als vom Hersteller geplant: für irgendwelche fingerfertigen, ständig durch kosmetische Trainingsprogramme wendig lavierenden Kundinnen. Elsie Sommer fühlte jetzt gern eine Annäherung an die meistens ziemlich scheu beobachtete Welt der übrigen Frauen. Sie sonderte sich ja gar nicht vorsätzlich ab. Und sie hoffte, wie zum Beispiel Frau Willmer auszusehen, oder wie Ria Thesing, annähernd, wenn sie mit allem fertig wäre.

Daß jetzt das Telefon klingelte, mitten im Verreiben komisch rübenfarbener Paste, störte zwar, noch mehr aber hieß sie doch bei so viel Alleinsein jeden Appell von außen willkommen. Zumindest als Vorschlag nahm sie ihn erst mal. Es entstanden winzige Neugierschübe, sonderbarerweise, denn nie stach ein Haustüranwärter oder ein Telefonierer wirklich aus dem täglichen Angebot heraus, erwies sich als Knüller, Okkasion. Darin geht es mir wie allen anderen Leuten auch, sprach Elsie Sommer vor sich hin. Sie rief sich manchmal auf diese Weise zur Ordnung. Sie entschied sich für die Dankbarkeit, wenn sie ihr Leben überblickte. Und für den Fall, daß sie die Reise machte, bliebe ihr der schrecklich lange Schlaf der Nachbarn erspart. Pfingsten: zwei schrecklich lang verschlafene Tage, von allen ihren Fenstern aus!

* * *

Andrea Bach stieß eine Verwünschung aus, die in die Richtung ihrer Mutter zielte, aber diese Adresse war fingiert: für Kewin Bach, ihren Mann, der von ihr den Eindruck einer pur kaltblütigen Tochter gewinnen sollte. Einer auf erwachsene Weise über ihr altes Mütterchen seufzenden Tochter, liebevoll, aber extra dry.

Hört sie wieder nichts, geht sie wieder nicht an den Apparat, verflucht nochmal.

Nicht fluchen, sagte Kewin Bach, ohne zu wissen, wie brav reflexmäßig er sich Andreas Regie fügte.

Inneres Beben bei Andrea, denn sofern jetzt nicht wirklich bald dort im Nachbarstädtchen, dort auf dem Buffetwagen im Wohnzimmer ihrer Mutter der Telefonhörer abgenommen würde, könnte sie ihrem Mann nicht verdenken, wenn er ungeduldig JETZT GIBS ABER AUF riete.

* * *

Eigentlich habe ich ja auch tatsächlich Lust, dorthinzufahren, sagte Elsie Sommer. Sie verstand ihre Tochter nicht sehr gut. Seit ihre kleine Reise zum ältesten Sohn und seiner Frau bevorstand, hörte sie wahrhaftig selbst für ihre eigenen Begriffe verheerend schlecht. Neulich war, ausgerechnet ihrem Schwiegersohn Kewin Bach gegenüber, herausgekommen, daß sie gelegentlich mogelte. Vorgab, verstanden zu haben.

»Ja ja« darfst du doch nicht einfach so sagen, rief damals Kewin aufgeregt. Es hätte ja ein Zeitschriftenwerber sein können, oder jemand vom Finanzamt, oder dein Bankberater, und du hättest JAJA gesagt zu werweißwasfür Transaktionen.

Nein nein, sagte Elsie Sommer jetzt aufs Geratewohl.

Du würdest keinen kränken, rief Andrea. Ich frag mich, ob irgend jemand hier überhaupt noch die Wahrheit sagt. Ich leugne ja nicht, daß die sich freuen, dich zu haben – aber so dringend ist's doch schließlich nicht. Die denken, du willst unbedingt, du langweilst dich . . .

Das tu ich ja auch, sagte Elsie Sommer mit unverhofftem Mut. Manchmal, etwas, fügte sie schnell hinzu.

Du sollst doch nur noch Sachen machen, die du selber richtig schön findest, rief Andrea.

* * *

Wieso habe ich eben NUR NOCH gesagt? Andrea fand sich gemein, mitten in den allerbesten Absichten für ihre Mutter.

* * *

Richtig schön finde ich gar nichts mehr, dachte Elsie Sommer und sie verbot es sich, im üblichen Mechanismus der Lebensdankbarkeit bescheiden wie immer, gerecht gerecht gerecht, diese Erkenntnis sofort wieder zurückzuziehen, oder doch abzuschwächen. Aber mit dem Anrühren vom Haartönungsbrei machte sie weiter.

* * *

Wer lädt, wenn ich um die achtzig bin, denn mich auf diese Weise zu sich ein – vor welcher kleinen Reise werde ich erschrecken, nicht jedoch ohne auch Lust zu haben? Andrea Bach wurde zwar nun nicht sentimental, ihre Kinderlosigkeit machte ihr nie zu schaffen. Aber die Leute, die ihr einfielen, massenhaft Leute, zu denen sie immer kommen könnte, wirkten auf sie wie Ersatz, und es würde sich um leeren geschwätzigen Zufall handeln, bei jeglicher Wahl. Der liebe Gott, wer immer das ist, plädiert für sämtliche Ängste, bei der Mutter, ob sie zu Haus bleibt oder zu ihren Kindern fährt. Das hat sie mir voraus.

Andrea fühlte sich plötzlich besser, sie erkannte für die liebe alte Frau einen Pfad zum abendlichen Wandeln.

* * *

Es wird eher so wie bei Frau Schoeller, fand Elsie Sommer, als sie unters Plastiktuch spähte und einen Blick auf die neue Haarfarbe ergatterte. Sie war ja richtig töricht gewesen, sich so lange Zeit so gute Ablenkungen versagt zu haben. Das Gute, in ihrer Witwenlage, war unter anderm – aber nur am Beispiel Frisur – daß sie sich die Zeit nehmen konnte, alles rückgängig zu machen. Wenn es zu deutlich künstlich wird, muß ich mir was einfallen lassen, beschloß sie.
Die Dreiviertelstunde aber, die war längst überschritten. Sie hatte sich viel länger untergebracht. Das Telefonat mit Andrea nicht einmal mitgerechnet. An die kleine aufregende Reise mußte sie gar nicht mehr denken. Ganz im Vordergrund ihrer Aufregungen standen die Ereignisse auf ihrem Kopf.

* * *

Wenn ich wieder auf die Welt komme, will ich keinen Menschen mehr richtig liebhaben, sagte Andrea zu Kewin, dem es nichts ausmachte.
Reg dich ab, empfahl er ihr.
Sie hat mir früher jederzeit Atteste geschrieben, bei allem, was ich haßte, dachte Andrea.
Wie wär's mit einer Kopfwäsche, Tönen, oder? fragte Kewin.
Schon wieder Liebe! Guter, alterprobter, kundiger, geprüfter Kewin!
»Nehmen Sie sich eine Dreiviertelstunde Zeit«, las er ihr jetzt vor.

78

Stille Wasser sind tief

Meine nächste Nachbarin wohnt am weitesten von mir
entfernt. Ich bedenke ihren Alltag so stetig parallel zu
meinem, daß eine Gemeinsamkeit zwischen uns anhält.
Ich verbringe meine Zeit mit ihr, wobei es gar nicht nötig
ist, sie mir ausdrücklich vorzustellen.
Zwischen uns gibt es eine Verabredung, unfeierlich getrof-
fen vor ein paar Jahren nachts auf einer Straße in Udine:
über das gegenseitige Anvertrauen auch bei wirklicher
Not. Versprichst du das? Ja. Du auch? Wir beide wissen
voneinander nicht, ob wir unseren Anteil an diesem in der
Kindersprache gut genug vorm Pathos geschützten Liebes-
pakt einhalten können. Wir kommen vom zärtlichen
Wunsch zu schonen schwer los.
Heute ist sie wieder einmal jemand, den man allein lassen
kann. Ihr Mann absolviert eine Lecture-Tour in den USA.
Daran denkt sie ohne Aufregung. Weil auf sie Verlaß ist,
braucht man mit ihr nicht die vielen kleinen rückversi-
chernden Fixpunkte für Neurotiker in den Stundenplan
ihres Alleinseins einzupflanzen, und deshalb kann sie frei
ein- und ausgehen, sie muß nicht ein streng plaziertes
Fünf-Uhr-Klingelzeichen abwarten, also kann sie jetzt
überlegen (aber hastig, denn sie hat nie Zeit): Gehe ich in
den Keller zur Wäsche? Oder hole ich das Auto aus der
Garage und schaue nach dem jungen Bruder und seiner
Frau? Dort wird sie immer gebraucht für ganz konkrete
Hilfsdienste, wie an zwei nur versehentlich realen Mär-
chenfiguren, und sie hat das gern und stöhnt doch auch
über so viel Seelen- und Sachenservice, in genau dieser sehr
aufrichtigen Mischung, mit dem für sie typischen Sinn fürs

Groteske und für Untertreibungen. Sie ist viel zu zart und zu dünn für die schweren Taschen, mit denen ich sie jetzt heimwärts rasch gehen sehe, kurze Schritte, der Ausdruck ihres Kindergesichts einer dem Lebensalter nach doch erwachsenen Person ist kritisch und wie vorbeugend gegenüber den nicht ausreichend guten Bedingungen, unter denen gelebt wird.

Während ihr die Häßlichkeit der Dingwelt nicht entgeht, spürt sie den Wunsch nach der möglichen Schönheit um so stärker. Allerdings: In diesem Vorort von Zürich lebt sie gern. Sie möchte, beim bald fälligen Umzug, hier unter dieser Postleitzahl am liebsten bleiben. Eigentlich hört sie immer ein paar SOS-Rufe, die an ihre Adresse gehen, gleichzeitig, und: Hat sie denn den Wochenendbegrüßungsbrief an ihre Mutter schon geschrieben? So ein Brief ist wie ein Besuch von ihr persönlich. Wohin sie kommt, da geht von ihr eine leise, aber exakt beschützende Wirkung aus. Keiner von denen, die ihrer bedürfen, bekommt deutlich genug mit, daß sie eigentlich jetzt dringend einmal nur für sich sein sollte. Sie läßt ihren Aufwand nicht spüren. Ohne alles edelmütige Selbstlosigkeitsgetue! Sie redet durchaus davon, wie abgehetzt sie ihren Tagesprogrammpunkten hinterher ist. Sie erzählt das unaufwendig herunter, hat in Briefen außer dem Beteuerungseifer bei den Abschiedsformulierungen keinen anderen Ehrgeiz, keinen bloß formalen, der den Text mit Stiltricks ausstaffieren und weniger ehrlich machen würde.

Ihre Post hat dennoch einen poetischen Reiz, ein Flair von Augenblicksvermittlung. Ihre Momentaufnahmen machen sie selber mitten in den »Tücken des Objekts« gegenwärtig. In ihre konkreten Alltagsschilderungen splittern sich schnappschußhaft – auch vorsichtig, denn sie ist zu diskret für alles Monumentale, sie ist zu skeptisch und zu selbstironisch, um dem Hochfliegenden, das sie doch in sich fühlt, ganz zu trauen – die Innenabbildungen, die Wahrheiten ihres Liebens: das ist ein immerwährendes Sorgen. (Also verwendet sie sehr viele Anführungszeichen, fast als sehe sie sich selber so, von Interpunktion in Frage gestellt, sobald sie sich bei den etwas größeren Worten erwischt.)

Ihre Imaginationskraft erreicht, aus der Ferne, die alleinlebende Mutter. Den Tod ihres Vaters verliert sie nie aus dem Gedächtnis, das sich fest entschlossen einer Art von Ur-Heimweh verpflichtet hat. So etwas spricht sie nicht aus. Ihre Erzählweise hat das Tempo und das spezifische sauerstoffreiche Klima von angelsächsischer Literatur. Kaum deutet sie eine Melancholie an, offenbart ihren Pessimismus, da setzt sie auch schon eine Alltagsgroteske dagegen ein: instinktsicher, denn bei ihr ist es ja kein Profikalkül. Sie hält die Balance mit der Emotionalität und erzählt von den gräßlichen Zumutungen mit den Zubehörteilen aus der Damenoberbekleidung, von einem Einzelkampf mit Textilien in einer Umkleidekabine und mit dem eigenen Abbild in einem fremden Spiegel. Aber mit ihren Mädchengliedmaßen könnte sie ja so zufrieden sein! Auch mit dem dichten Haar. Es paßt jedoch zu ihr, daß ihr das Gute nicht gut genug, »genug nie genug« ist, und sie entdeckt Mängel ständig also auch an sich selber. Sie verachtet das Unvollkommene. Sie folgt nicht der Eitelkeit, sondern kennt ihr eigenes ästhetisches Konzept, sie fordert diesen Stilwillen für die eigene phänotypische Konstruktion.

Sie kommt mir, wie sie jetzt leise, aber sehr entschieden, sehr wenig kompromißlerisch, einer Verkäuferin abwinkt, mit dem Bewußtsein für die eigene Tragikomik, wie die Figur aus einem englischen Roman vor. Eine immer doch auch lässig gelassene Widerstandsfigur, intelligent genug zum Resignieren, aber fern der Bitterkeit. Sie haßt jede Version von Mitläuferei, als Individualistin von Grund aus. Ihre Rebellionen sind von der versteckten Sorte, nicht für jeden zu erkennen, manchen ist sie ein wenig rätselhaft und dadurch anziehend. Ihre Oberfläche täuscht ganz erheblich. Als ich Katherine Mansfields Tagebücher las, auch bei Sylvia Plath im Roman und in Briefen, da habe ich an sie gedacht, an meine Nachbarin, so als wäre sie die Autorin. So schillernd wechselt es in ihr ab zwischen dem Gegenständlichen und dem Emotionalen und bei deren Vermischung, und sie überwindet diese ganzen tagtäglichen Vertraktheiten mit einem seufzenden *und* lächelnden Mut. Mit ihr zu korrespondieren könnte einem Schriftsteller nützen. Sie ist eine schöpferische Lieferantin für Prosa-Grundmaterial. (So eine Mitteilung macht sie nicht eitel, nur vergnügt.)

In der Abwesenheit ihres Mannes steht sie ungefähr zur gleichen Zeit auf wie sonst. Sie hat es nicht nötig, jetzt Gelegenheiten zu nutzen, einen trüben Vorrat von heimlichen Absichten zu bewirtschaften. Auch wenn ihr Mann zu Haus ist, wo er von morgens bis abends Patienten empfängt und außerhalb der Praxisstunden am Schreibtisch nicht gestört werden will, lebt sie freiheitlich, muß aber ihre Zeit nach seinem Arbeitsplan einteilen. Das nimmt sie selbstverständlich. Sie würde ganz gern über die bloßen Sekretärinnendienste hinaus etwas enger mit ihm zusammenarbeiten, aber wenn er meint, daß das schlecht geht, gibt sie nach, bevor ein Nachgeben überhaupt als Problem aufkam.

Sie ist nicht der Typ fürs rollenkämpferische Destillieren von dann doch vielleicht künstlichen Gerechtigkeiten. Sie war längst, ehe die Emanzipation der Frau in ihrer jetzigen

Phase zum Postulat wurde, emanzipiert, berufstätig und selbständig vor der Heirat. Dieses Ehepaar, meine nächsten Nachbarn, geht angstfrei miteinander um, ohne die Gewaltanwendungen von Unterdrückung, Machtausübung. Sie lassen einer den andern in Ruhe. Außenstehenden könnte doch dieser Verdacht kommen: Sie opfert mehr als er. Sie richtet sich ganz nach ihm, der es sich in seinem Lieblingsberuf wohnlich gemacht hat. Während sie nie und nimmer ihr Ideal erreichen kann. Aber was wäre das?

Ihr Naturell determiniert sie sowieso zu dieser schwierigen Variante vom Idealen: sie kann es bloß, indem sie es ersehnt, realisieren, bloß im Nachjagen, dem »hochgesteckten Ziel«. Sie ist wie nicht dafür geschaffen, sich munter-bejahend zum irdischen Glück zuzureden. Sie muß sich an die winzigen günstigen Augenblicke halten. Wer sie vor ihrer Ehe gekannt hat, weiß außerdem gut, daß es gegen den Anschein doch paritätisch zugeht bei den Glücksverteilungen dieser beiden immer vollbeschäftigten Leute.

Ihrem Mann verdankt meine Nachbarin, mit der ich jetzt wieder in ein Ersatz-Küchengespräch des Anvertrauens von Kleinigkeiten vertieft bin, viel Schüchternheitsüberwindung, Souveränität, sie ist durch ihn selbstbewußter geworden, keine Angriffsfläche mehr. Sie wirkt wie jemand mit guten Nerven – die *ich* ihr immer wieder gar nicht recht glaube.

Gibt sie sich so viel Mühe? Beherrscht sie sich so gut? Jederzeit kann sie Gäste bewirten, ohne den Kopf zu verlieren, aus dem Stegreif macht sie das und wird doch keinem als die penetrant patente Meisterhausfrau lästig. Im Gegenteil macht sie den Eindruck einer Studentin, der rein zufällig auch dieses Essen wieder mal gelang. Sie behält, vor einem Abend mit vielen Personen, bis in den späten Nachmittag hinein die Ruhe und chauffiert nochmal schnell zum »Migros« im Nachbarvorort, weil ihr irgendwelche Party-Pickles einfallen, die es speziell dort gibt, und da sammelt sie jetzt noch – in zwei Stunden kommen die Gäste – ein großzügiges Kauderwelsch von Dosen und Gläsern an und zeigt auf dem Rückweg noch zwei zum Verkauf annoncierte Häuser.

Sich als Gast bei ihr wohl zu fühlen, weil sie zum Eindruck verhilft, alles habe sowieso stattgefunden, beiläufig, fällt leicht. Eine kurze Panik beim kurz befürchteten Mißlingen der Lyoner wirkt bei der Nachbarin wie Spielhandlung. Immer wenn ich als ihr Besuch Zeuge dieser ihrer richtigen Einschätzung einer Lage bin, komme ich mir wohlig entrückt vor, geborgen in der lockeren Vernünftigkeit der Nachbarin, ich laufe verwundert in ihrer Nähe herum mit meinen paar nicht weiter wertvollen Handgriffen, schön verzaubert, und wir spielen »Hausfrau und lästige Schmeißfliege«, ihr zum Kummer und zum Lachen; in der Rolle der »lästigen Schmeißfliege« bin ich ihr auf ihren zielgerichteten Gängen im Weg, decke aber den Tisch. Schon das ist mir fast zu viel aufregende Verantwortung, während sie nun etwas Unerprobtes auf dem Grill riskiert und die Gäste immer unmittelbarer bevorstehen.

Was hat sie heute an? Wieder, in dunklen Farben, so ein Resultat ihrer Intelligenz, die Schönheitssinn und Identitätsbewußtsein kombiniert. Ich betrachte sie jetzt: Unerschrocken und radikal sieht ihre Gehweise aus, nachts mit dem Müllsack in der Einfahrt, es tut ihr kaum leid um das 30-Day-Brunett vom Coiffeur, denn es regnet, der Regen paßt ihr, auch dem Garten zuliebe. Um den müßte sie sich kaum noch kümmern, nachdem man ihr und ihrem Mann das gemietete Haus gekündigt hat. Meine Nachbarin kann trotzdem nicht an den Pflanzen ihren Zorn auf die Vermieter auslassen. Zusätzlich zu allem üblichen ist sie jetzt noch mit der Umschau auf dem Immobilienmarkt strapaziert. Sie vergißt aber wieder nicht die Tragikomik beim eher deprimierenden Schreibstoff der Millionenobjekte, die ihre Phantasie dann kurze Zeit bewohnt.

Und es gelingen ihr sogar die Sonntage allein! Sie gönnt sich und damit ihrer Schwester ein ziemlich ausführliches Telefonat außer der Reihe, kleine Kühnheiten, auch bei der Grappa, falls sie sich nicht für Fernet Branca entscheidet, sie bevorzugt harte Getränke, hört aber rechtzeitig auf, und spät abends ruft sie auch nicht nochmals an. Ich bin erstaunt über die Nachbarin, die nicht durchdreht und von der doch ich so gut weiß, daß sie ihr Temperament stets zügelt, daß sie – noch – aufpaßt.

Und jetzt hat sie das Essen gutgeheißen, ein Kinderessen ohne gedeckten Tisch, Käsebrote und Rühreier. Über einen defekten Wasserhahn bekommt sie ganz einsam einen schönen, verströmenden Wutanfall, auch über die Korrekturfahnen zum Buch vom »Verlorenen Paradies«, die sie für ihren Mann liest. Sie sehen schlampig und nach viel Zeitverlust aus. Wenn meine Nachbarin schimpft, bekommt man nicht den üblichen schlechten Geschmack vom üblichen ehefraulichen Hader mit dem Undank der Welt. Eher wirkt sie auch darin graziös, und sogar Autofahren, ein Vorgang, durch den die Leute zu den gleichen Bewegungen vereinheitlicht werden, hebt sie heraus und macht sie erstaunlich. Man muß sie beim Musizieren beobachten, um ihr immer nur gerade zu weckendes Lebhaftigkeitsfieber zu ermessen. Da ich selber als Kind schon ihre Nachbarin war, weiß ich Bescheid. Ich erinnere mich unseres vielsagenden Hin und Her über den Spruch *Stille Wasser sind tief*; sie meinte sich, mir war es nicht recht. Sie hat immer eine kleinere, leichtsinnigere Schwester bremsen müssen: sicher ein für spätere Geduldsproben konzipierender Prozeß. Der wirkte aber gar nicht glättend, gar nicht huldvoll paralysierend auf sie ein.

Soll sie jetzt endlich mit der Schimmelbekämpfung im Badezimmer aufhören und Bratsche üben? Für eine ehemalige Berufsmusikerin wie sie ist es nicht leicht, mit den sympathischen Dilettanten ihres Freundeskreises zu musizieren und erst recht nicht, deren Genußerfolge mitzuerleben, während sie dazu gezwungen ist, sich nach nichts Geringerem als der Perfektion zu sehnen. Wie überall sonst auch!

Das hat sie neulich gehaßt: 50 zu werden! Wenn sie ihr Gesicht wäscht, und dazu ohne Brille in den Spiegel schaut, bedauert sie es vielleicht, daß eigentlich fast nur noch sie selber ihre Augen kennt, diese verblüffenden Augen, die schönsten in der Familie.

Morgen ist wieder ein Wochenbeginn und sie bricht zur Nachmittagsarbeit einer Bibliothekarin auf, sie muß wie täglich hoffen, einen Parkplatz im näheren Umkreis der ETH zu finden, sie weiß, wie lang eine Minute ist und kennt nicht die Pünktlichkeitsängste der Chaoten. Sie hat eine Freundin, die für ihren Geschmack etwas zu theoretisch, zu feministisch eifert, denn sie selber erledigt das Problem mit ihrer Halbtagsarbeit, die sie nicht liebt, aber verteidigt: Sie findet es nicht übel, wenn sie doch auch noch etwas zu tun hat, das nicht mit dem ganz und gar inständigen Familiengefühlsbetrieb zusammenhängt. Andere schweizerische Freunde machen sie manchmal mit politischer Kritik an ihrem Land zornig. Das kommt ihr verdächtig modisch vor, auch fahrlässig, und es stört sie nicht, deshalb für wirklich etwas zu wenig links gehalten zu werden. Sie hat eine Nazideutschland-Kindheit nicht vergessen, und deshalb kann sie jetzt gar nicht mehr genug bekommen vom Zufriedensein in einem Staat ohne Hitler- und Völkermordschuld.

Jetzt macht sie einen Fußweg zum kleinen Postamt, ich finde, daß auf einem der Couverts meine Adresse stehen könnte, obwohl ich es lieber hätte, wenn sie die Zeit für sich selber genutzt hätte, das schon, denn sicher hatte sie vor, zum bald fälligen Abschied vom Garten, ihre Leberblümchen zu photographieren, beispielsweise. Aber vielleicht erzählt sie mir doch wieder so eine ihrer kleinen Alltagstragikomödien, etwas vom leichten Bedauern, vom freundschaftlichen Mitgefühl, das aufkam, als sie das bleiche, wie gehäutete Hühnchen in die Bratröhre schob. Alles mögliche andere wäre ihr weiterhin wahrscheinlich lieber als diese ordentliche Rückkehr in ihr Haus, viel lieber eine Höheneuphorie oder eine Meeresluftberauschung, viel lieber etwas Fernes, Vollendetes; ich sehe ihr den Sog vom geheimen Wunsch an, während sie sehr rasch geht: zurück, zurück, dorthin, wo man sie allein lassen kann. In dieses Nachbarhaus, das unter allen am weitesten von mir entfernt ist, und in dem sie wohnt, die mir am nächsten ist, die Nachbarin, meine Schwester.

Die Herrlichkeit des Lebens

Daß Christoph ihr überhaupt auf die Schliche kam – auf so winzige Schleichpfade, viel zu eng und knifflig für Männer üblicherweise – daß er ihr dorthin folgen konnte und im Dickicht dringlicher Frauenbedürfnisse auf den Fersen blieb, das war eigentlich als Ereignis durchaus zu würdigen. Dennoch fühlte Sabina sich nicht zur Bewunderung aufgelegt. Zugegeben, er war ein begabter Bursche. Aber ohne Wohlwollen. Einen guten Beobachter brauchte sie nicht um sich herum. Hellhörigkeit ohne Mitgefühl, das ergab nichts als Einmischung.

Als Sabina merkte, daß sie einen flüssigen Blick bekam, von Tränen, was für eine verheerende Übertreibung, da wünschte sie sich sofort in eine andere Stimmung. Ein richtiges brauchbares Gefühl entstand durch so eine lachhafte Miniatur von Männerkritik doch gar nicht erst. Sie wollte wieder gut gelaunt sein.

Sie ist wirklich sehr schön, sagte sie. Und einen Augenblick lang hatte sie wirklich die Lokomotive im Visier. Doch dann mogelte sie wieder und schaute auf die Spiegelung ihrer selbst. Dieses Schaufenster eignete sich ziemlich gut. Sag doch nicht SEHR SCHÖN, wenn du gar nicht die Lok betrachtest, sagte Christoph.

Wie redete er überhaupt mit ihr. Man mußte wirklich höllisch aufpassen, daß man nicht in jungen ledigen Jahren schon in so eine betagte ungute Ehepartnerknechtschaft geriet.

Lieber Himmel, anstatt froh zu sein, daß ich es über mich bringe und mit dir stundenlang vor so einer hochinteressanten Spielzeugeisenbahn rumstehe, beschloß Sabina zu

sagen, aber da wandten sie sich ja bereits von diesem Laden
ab und trotteten weiter. Wieso hatte sie dieses Flanieren
jetzt innerlich TROTTEN genannt? Wohin war die ganze
Vorfreude? Es tat doch viel wohler, einer Sache freundlich
gewogen zu sein. Sabina hatte Lust, sich wieder mehr zu
freuen. Zunächst mal auf den Kaffee bei Ortrud. Nett von
Ortrud, sie beide am Flughafen abgeholt zu haben. Ob sie
denn wohl ein paar gute Gebäck-Einfälle aus ihrem dicken
runden gemütlichen Kopf herunterbefördert hatte? Sabina
bekam Appetit.
Wir sollten ein paar Blümchen haben, für Ortrud, sagte sie.
Die Stimme klang noch verfrostet und BLÜMCHEN hatte sie
wie ein Schimpfwort ausgestoßen. Komisch, diese Körperfunktionen. Geistig gesehen war sie doch übers Gekränktsein weg, fand Sabina. Als frauengünstig mußte sie
ja gewiß manche Bereitwilligkeit Christophs einordnen.
Im Vergleich standen sie beide gut da. Überall im Freundeskreis wurden diese öden wörterreichen Machtkämpfe
ausgetragen. Christophs lieber Mangel an Widerstand zum
Beispiel beim Aufteilen von Hausarbeit fiel Sabina ein,
während sie an seiner Seite die Auslagen eines Radioge-
schäfts für fesselnd zu halten versuchte. Und nachher
würde er mißmutig einen preisgünstigen Strauß erwerben.
Er würde das für eine Angelegenheit seiner Kasse halten.
Auch unterstützte er seine Freundin immer noch geduldig
im Verwandlungsprozeß bei sämtlichen Leuten – manche
irrten sich hartnäckig weiter und sagten SABINE oder womöglich BINE zu ihr, obwohl sie doch schon seit circa
5 Wochen offiziell SABINA hieß. Eine Art von Eingeweiht-
sein in weibliche Wünsche lag offenbar bei ihm vor. Kreide
ihm das mal auf der HABEN-Seite an, ermahnte Sabina sich,
aber vergeblich.
Zu sonnig war es auch, für jemanden, der auf einer

Abend-Fête als blasse und überarbeitete Person aufzutreten gedachte, und das entsprach Sabinas fester Absicht. Eigentlich hatte sie den gesamten Berliner Ausflug genießen wollen. Die Clique von früher. Aber schon auf dem Hinflug war irgendwas mit ihren Haaren passiert. Vielleicht vom Schwitzen klebten sie nicht in der Zielrichtung auf der Schädeldecke. Der Luftzug aus der Drehdüse über ihrem Sitz richtete auch nichts Gutes an. Wenn nun also Christoph schon so weiblich mitempfinden konnte, dann mußte ihm doch ein zweiter Schritt leicht fallen, und durch den würde er es als zwingend erachten, daß seine Freundin sich von Schaufenster zu Schaufenster, worin sie sich matt spiegelte, in die erwünschte Identität zurückzukämpfen trachtete.

Prima, euch beide mal wieder hier zu haben, sagte Ortrud nach zwei weichen, molligen Umarmungen.

Falls heute abend noch die alte gute Stimmung zwischen ihr und Christoph aufkäme, so plante Sabina beim Eintritt ins Wohnzimmer, dann würde sie ungefähr so was sagen wie: Kannst du dir denken, wie sie das schafft, die dicke Ortrud, kein Gramm Gewicht zu verlieren bei diesen 5 Stockwerken, die sie täglich rauf und runter muß?

In einem knallroten Emaillebecher standen ein paar lange, kümmerlich gefüllte Waffeln herum. Auf sonst nichts Eßbares fiel Sabinas Blick. Den Kaffee gab es auch aus Emaillebechern, worin er zu lang untrinkbar heiß blieb.

Du siehst gut aus, Sabine, wirklich richtig gut, warst du viel in der Sonne?

Du, Ortrud, ich heiße Sabina, das nur nebenbei.

Aber Christoph, er sieht blaß aus.

Du selber siehst gesund aus, Ortrud.

Ich hab aber grauslig mit Migräne zu tun, gerade in den letzten Wochen. Macht's euch doch bequem.

In der alteingesessenen Art, wie Ortrud ihr fettes linkes Beinchen aufs Sitzpolster zog und unter ihrem schweren gemütlichen Gesäß anordnete – es mußte sich dort unten um ein warmes Stammplätzchen fürs Beinchen handeln – erkannte Sabina, daß Christoph und sie nur zu dem Zweck hier als Gäste fungierten, um in aller Gründlichkeit mit Erzählstoff versorgt zu werden. Die Emanzipationsgeschichte von Ortruds verwitweter Mutter kannte Sabina schon stückweise. Jedesmal kam dieser Text ihr etwas frivoler vor. Vielleicht reicherte Ortrud ihn an, oder die Mutter machte Fortschritte nach den Plänen der Tochter. Inzwischen verfügte sie über einen TYP, VEREHRER, FREIER. Ortrud schien stolz und vergnügt.

Sie fängt an zu leben. Zum ersten Mal in 56 Jahren. Ist schon wahnsinnig spannend, irre aufregend. Habt Ihr Lust auf mehr? Ortrud hob den roten Emaillebecher an. Christoph und Sabina waren rasch mit den Waffeln fertig geworden. Sie hatten es vor 2 Stunden so vernünftig gefunden, auf Ortruds Einladung hin das Mittagessen einzusparen. Berlin, noch in der kürzesten Fassung, wurde sowieso stets teurer als veranschlagt.

Wenn's sein muß, okay, sagte Christoph, und Sabina liebte ihn plötzlich mit einem frischen Gerührtsein. Meistens beantwortete er Fragen dieser Art nämlich gar nicht und verließ sich auf Sabinas hohe Geschwindigkeiten in allem, was so an Dialogbestandteilen anfiel. Jetzt mußte wohl regelrechter Hunger ihn zu so viel brummigem Mut getrieben haben, und eine Art von Erbarmen mit der üblen Verfassung seiner Freundin kam vermutlich hinzu. Liebesbeitrag!

Die Waffeln der zweiten Runde wurden in der Packung serviert. Ortrud war vollbeschäftigt mit dem Fortsetzungsroman, Thema: die Selbständigkeitserrungenschaften ihrer Mutter. Die machte sich in zwei verschiedenen Sorten von Schlupfwinkeln sachkundig: gleichermaßen und gleichzeitig trieb sie sich in fernöstlichen und in erotischen Verstecks herum, bei diesen Erschließungen unterstützt von Reisegesellschaften und vom Frührentner-Galan. Der Erdglobus und der entwitwete Körper erwiesen sich als Fundgruben für emanzipatorisch Schlüpfriges. Irgendwie schien sich DAS EI DES KOLUMBUS als Metapher und Synonym auf die Forscherleistungen von Ortruds Mutter anwenden zu lassen: Ortrud berichtete soeben, daß plötzlich sogar, war's in Bangkok oder in einem javanischen Tempel, der Monatszyklus bei dieser Frau wieder zugeschlagen hatte. Das Ovarium und Westindien.

Ich hab einen richtigen Freudentanz hier aufgeführt, erzählte Ortrud. Sie fängt mir doch nochmal ganz und gar von vorne an, mit der Periode und allem, und nun aber endlich auch mit dem passenden Mann. Muß ein munterer Vogel sein, Ex-Datenverarbeiter, dem eines schönen Tages sämtliche Computer bis hier standen.

Gestern abend haben wir einen grauenhaften Menstruationskitsch im Fernsehen kaum zum Ertragen gefunden, sagte Sabina. Nichts für ungut, aber diesen speziellen Trieb vom Baum des Feminismus kann ich weiß Gott nicht gut finden, ich meine, diesen Frauenstolz auf geronnenes Blut, alle vier Wochen.

Na, im Fall meiner Mutter ist's schon was Ergreifendes, widersprach Ortrud, die nicht beleidigt war, sondern vielmehr froh über die gebotene Gelegenheit zur Meinungsbildung. Was meint denn unser Christoph dazu, so als Mann, he?

Sabina wappnete sich, suchte in sich nach einer Antwort an seiner Statt, armer Teufel, der er war bei aller Sympathie für Frauen, und parat hatte sie schon eine: Das ist ihm viel zu blutrünstig. Da aber sagte er ganz selbständig, obschon natürlich hilflos:

Ich bin mir nicht im klaren darüber, ob es sich um geronnenes Blut handelt.

Immerhin, eine eigenständige Aussage.

Ortrud gab nun ihrem rechten Beinchen eine Chance und schubste es, das linke mit beiden Händen vom Sitz schaffend, in die gepolsterte Behaglichkeit unter ihrem Körpergewicht.

Die Ursache dafür, daß sie nochmal wieder ihre Tage gekriegt hat, liegt in der Zweierbeziehung, verstehst du?

Den Fernsehfilm hab ich auch gesehen. Im Unterschied zu dir fand ich's glaubhaft gemacht, wie sich das Mädchen drüber freut, endlich eben in bezug auf ihre Tage so weit zu sein wie die andern in ihrer Klasse. Mir ging's auch so, ich war auch spät dran. Ich frag mich, Christoph, inwieweit ihr Männer das mitvollzieht, wie sich euch das vermittelt, hm?

Es hat was, doch durchaus, hat es, sagte Christoph und sah allmählich unumstritten erlösungsbedürftig aus.

Ob du irgendwas an Spirituosen für ihn im Haus hättest, fragte Sabina.

Klar, habe ich, sagte Ortrud, doch geriet es in Vergessenheit, denn jetzt saß sie erst einmal wieder viel zu wohlig da.

Sie mausert sich zur Zeit zu einer Klasse-Frau, meine kleine Mami, und dabei bleibt es. Und wir sind drauf und dran, Elmar, Mechtild und ich, einen Film über sie zu machen. Elmar will dieses Projekt vorziehen. Ich meine, er hat ja DIE HOHE TIEFE schon eingereicht. Aber diese Frau da, meine gute Magda . . . ich hab meine Mutter ganz systematisch sofort, nachdem dieser preußische Gauner, mein Vater, von der Bildfläche verschwunden war, ganz konsequent und als Aufbaumaßnahme mit dem Vornamen angeredet. Hätte ich früher schon tun sollen. Wie steht es bei dir damit, Bine?

Sabina, sie heißt Sabina, sagte Christoph, obwohl er den Mund noch nicht leer hatte.

Was für ein lieber Kerl er doch war. Wie stark er sich, von Einwurf zu Einwurf, am Gespräch beteiligte, für seine Verhältnisse. Und wie furchtbar es ihn anöden mußte, das anrüchige Frauenzeug. Ob er die Kränkung der Schaufensterszene rückgängig machen wollte? Ein treuer Hund, wirklich. Behaglich sah es nicht aus, sein Mampfen der Waffeln, die übrigens ein wenig ältlich schmeckten, und sein verzweiflungsvoll begehrliches Anstarren vom schäbigen Rest in der Packung. Was schrieb er sich denn da jetzt ab? Aus einer LEBENSGABE genannten Broschüre, in der zuvor sie selber geblättert hatte: Druckerzeugnisse dieser Art lagen ihm doch so gar nicht. Auf jeder rechten Seite prangte ein Naturphoto. Links waren irgendwelche dichterischen Verlautbarungen abgedruckt, in trostspendender Absicht, daseinshilfreich, nahm Sabina an und auch, daß sie die Lage richtig einschätzte und Christoph lediglich auf so etwas wie einen geistig-emotionalen Abtransport aus war, indem er Interesse und Notizbedürfnis heuchelte, also Ortrud für eine Zeitlang nicht zuzuhören brauchte.

Wir haben uns eigentlich gern genug, befand Sabina. In einem anderen Zeitalter als diesem würden wir heiraten. Sie plante, so was von der Art demnächst zu äußern, höchstwahrscheinlich schon am Abend dieses Tages. Nur Abende kamen in Frage.

Nicht übel, wie? Ortrud meinte die LEBENSGABE-Broschüre. Hast du was entdeckt, Chris?

Kafka, sagte Christoph.

Ich frage mich, wie so jemand Düsteres wie Kafka in so ein Therapiebuch kommt, sagte Sabina.

Unterschätz' die nicht, sagte Ortrud.

Er hat so weiße Ohrläppchen, Christoph, sagte Sabina, deswegen dachte ich vorhin, ein Schnaps wäre gut für ihn.

Was ist mit Rotwein, fragte Ortrud.

Besser als gar nichts, sagte Sabina.

Du fängst ja schon wieder damit an, sagte Christoph, und zwar gerade in dem Augenblick der endlich gewonnenen Freiheit von Ortrud, die sich in der Küche um eine Getränke-Inspektion kümmern wollte. Sabina hatte diese Spanne Zeit für einen solidarischen Austausch mit Christoph nutzen wollen. Er aber betätigte seine nörglerische Stimme für den Privatgebrauch.

Womit fang ich denn schon wieder an, fragte Sabina, innerlich alarmiert, vorweg bestürzt, die Verletzung war schon in Arbeit.

An deinem Haar rumzudrücken, sagte Christoph.

Ich find's deprimierend, wie wenig Team-Geist du hast, sagte Sabina. Wir sitzen hier in einem Boot, werden ausgehungert . . .

Ich will doch nur, daß du deine paar lächerlichen Ticks los wirst, ich meine es gut und damit basta, sagte Christoph, dem Sabina nicht abnahm, daß er den Text zu einem Herbstwaldphoto auch wirklich las, denn sie bekam durch einen schrägen Blick die Überschrift HERBSTZEITLOSEN mit und dem Satzspiegel nach handelte es sich um ein sehr kurzzeiliges Gedicht: alles nicht Christophs Fall und Passion.

Sabina fühlte sich verwaist. Die Kränkung saß maßgeschneidert. Sie lag eng an. Jetzt mehr als vorher beim törichten Schaufensterbummel. Ortruds Küchengeräusche und ihr vergnügliches Geträller wirkten nur als Zutat. Da war was dran: daß man besonders einsam sein konnte gerade in Gesellschaft anderer. Mit der Hilfe, die sie brauchte, beim Ablegen lächerlicher Ticks, hatte Christoph ja recht. Das machte die Sache nur schwerer. Sie selber bewunderte sich keineswegs für ihre Abhängigkeit vom regelmäßigen Überprüfen ihres Aussehens. Dafür, daß sie von Zeit zu Zeit mit sich und einem Spiegel allein sein mußte. Seit fast drei Stunden schon wußte sie ja überhaupt nicht mehr, wie sie im Moment nun eigentlich aussah. Sabina zweifelte nicht daran, daß Ortrud in ihre Küchenbelange einen kleinen Termin fürs Badezimmer schmuggelte. Und es geschähe doch auch dir zuliebe, du Trottel, wenn ich mal zwischendurch wüßte, ob alles in Ordnung ist, dachte Sabina und schaute auf ihren Freund mit einer Technik, die für ihn selber wie kalte verachtungsvolle Durchdringung, wie Nichtwahrnehmung wirken sollte. Verbohrt sah er aus, schlecht gelaunt. Sabina witterte in sich die ungeheuerliche Möglichkeit, ihn entscheidend zurückzukränken. Sie hörte ihn geradezu, diesen noch nicht ausgesprochenen Satz. Er lautete:

Bei mir, auf meinem Kopf, da gibt's wenigstens genug Material zum Dranherumdrücken.

Oder so:

Immer noch besser, überhaupt ausreichend Haar zu haben für solche lächerlichen Ticks.

Was war nun, sollte sie damit loslegen? Vielleicht doch besser nicht, nicht so lang sie noch, wegen Ortrud, Haltung bewahren mußten. Ortrud war das Glück eines Streits der beiden Freunde nicht zu gönnen. Aber irgendwann müßte eine Äußerung aus ihr herausgebracht werden, die nicht nur defensiv war. Und beim Phänomen HAARWUCHS hatte Sabina schon oft in sich den Drang zur Offenbarung verspürt. Wie die Kammerzofe Franziska in MINNA VON BARNHELM würde sie eines Tages ES MUSS HERAUS ausstoßen. Jedoch sollte dies an einem liebevollen Tag geschehen. Und dann wäre endlich die Rede von Haarwasser und Kurpackungen, denn für sein Alter war Christoph einfach schon zu schütter. Für 26 war das einfach nicht genug Haar. Sabina wünschte, den unzarten Anspielungen aus dem Kreis ihrer Freunde zuvorzukommen.

Du mußt nur noch mir persönlich gefallen, ist das kapiert, sagte Christoph.

Sabina, unfähig, sich zu seiner Sicht der Dinge durchzuringen, fühlte sich wie an eine Leine mit blödem Halsband gelegt.

Ortrud kehrte ins Wohnzimmer zurück, Rotwein servierend, und dann kuschelte sie sich neu in den eingedellten Sessel ein, bereit zu allen möglichen Langwierigkeiten.

Du bist so ein richtiger Muttertyp, Sabine, du mit deinen weißen Ohrläppchen beim Christoph, na, sind sie schon rosiger geworden?

Christoph hatte diesmal entweder verpaßt, daß Ortrud wieder SABINE statt SABINA unterlaufen war, oder er schwieg aus Mißmutigkeit.

Kann ja auch gut sein, daß ich den Christoph und seine verdammten Ohrläppchen nur als Vorwand benutzt habe, daß mir selber nach einem Schluck war, sagte Sabina mit vorsätzlicher und für Christoph gemünzter Kaltblütigkeit.

Was unternimmst du gegen deine Denkerstirn, Christoph, fragte Ortrud, vom Begutachten der Ohrläppchen auf die Fährte gelockt. Noch sieht das ja ganz schick aus, aber ich kenn das, ich weiß, wie das läuft, hab's bei dem alten Halunken, meinem Vater, gründlich genug miterlebt. Als das schon längst eine Mordsglatze war, hat er mit Ach und Krach Geheimratsecken zugegeben.

Sabina wunderte sich wieder einmal darüber, wieviel doch

ein Organ wie das Herz an jäher Hektik aushielt. Wie strapazierfähig es doch war. Sie schwitzte außerdem. Sie wagte nicht, Christoph anzusehen.

Ich mach nichts dran, sagte Christoph.

Meine Mutter hat nie ein Wörtchen rausgebracht, über dieses Tabu meine ich, sagte Ortrud. Und er war solch ein Tyrann, herrje. Du machst es richtig, Bine, bis hin zu den Ohrläppchen, du paßt auf.

Sabina griff sich, um beschäftigt zu sein, die Broschüre LEBENSGABE. Als sie sicher war, daß Ortrud sich für längere Zeit im Erzählstoff über ein demnächst fälliges Reisevergnügen ihrer Mutter Magda asyliert hatte – geplant war eine Gruppenreise in einem TANZ-EXPRESS und dieser Sonderzug der Bahn ging von Dortmund durch bis Murnau – da suchte Sabina die Kafka-Stelle, mit der vorhin Christoph sich abgelenkt hatte. Da, das war sie, das mußte sie sein. Sabina las: »Es ist sehr gut denkbar, daß die Herrlichkeit des Lebens um jeden und immer in ihrer ganzen Fülle bereitliegt, aber verhängt, in der Tiefe, unsichtbar, sehr weit.«

In diesem Augenblick hörte Sabina, wie Christoph zu Ortrud sagte: Ich dachte schon daran, daß wir statt SABINA irgendwas Drastischeres einführen sollten. Vielleicht SABRINA, da gab's mal diesen Film, mit Audrey Hepburn und Humphrey Bogart und auf den andern männlichen Schauspieler komme ich jetzt nicht.

William Holden, mein Schatz, mein Engel, rief es in Sabina. Ach, jetzt heulen zu können, welch ein Wunschtraum der Seele würde sich damit erfüllen. Nur weg, nur weg von hier! Da hatte der gute liebe schüttere Christoph mitten in seinem Hunger nach einem gescheiten Essen und in ungutem Frauengeschwätz sich diese Notizen über die HERRLICHKEIT DES LEBENS gemacht. »Aber sie liegt dort, nicht feindselig, nicht widerwillig, nicht taub«, las Sabina, und hörte Ortrud und Christoph reden.

Sabrina ist nicht übel, sagte Ortrud.

Oder SABENA, wie die skandinavische Fluggesellschaft, sagte Christoph.

Franz Kafka war der Ansicht, daß man die Herrlichkeit mit dem richtigen Wort rufen solle. Beim richtigen Namen. »Dann kommt sie«, sicherte er Sabina zu.

Das Oberhaupt

Es waren eigentlich nie mehr überhaupt keine Freunde zu Besuch da, dachte Lenny und behielt trotzdem den Entschluß bei, heute etwas früher Büroschluß zu machen. Er seufzte ein bißchen zu viel, seit einiger Zeit schon, und es galt, diese schlechte Angewohnheit des Gemüts wieder abzuschaffen. Das war nicht ganz er selber, nicht mehr der optimistische Familienhäuptling, sondern ein von zu viel umzingelndem Pessimismus infizierter Lenny, der übrigens zu dieser Geisteshaltung lieber wieder wie früher MIESMACHEREI sagen und sich – wenn schon! – dafür belächeln lassen wollte.

Das kleine neue Nachschlagewerk mit dem Titel SAGS MAL ANDERS zog auch nicht mehr so recht. Lenny klappte es zu, und fast hätte er schon wieder dabei geseufzt. Er stellte SAGS MAL ANDERS an seinen Platz zwischen TRIFFS BESSER und DAS PASSENDE WORT. Fest stand, daß er mit der Arbeit nicht vorwärts kam. Für eine Krise dauerte das nun schon zu lang. Es handelte sich wohl eher um eine chronische Sache. Nicht gleich Krankheit, man war nicht gleich ein Patient, wenn man das Schreiben schwierig fand. Lenny verehrte Thomas Mann, und ihm kam das schwierige Genie immer näher, seit erstens er selber sich täglich mit Stilproblemen abmühte und zweitens als Abendleser von Thomas Manns Tagebüchern.

War BELÄCHELN aber überhaupt die richtige Charakterisierung, wurde er nicht von den jungen Familienmitgliedern vielmehr VERACHTET, immer wenn er für mehr Elan und positive Einstellung und Mut plädierte? Und warum tat er das eigentlich? Er beneidete seine Frau, der alles Grüblerische fern war, und die sich inmitten jedes geselligen Gemetzels nur an die geläufigen selbstverständlichen Funktionen ihres Naturells hielt. Wie sehr hatte er vor knapp zwei Jahrzehnten noch damit Eindruck geschunden – Aufsehen erregt: SAGS MAL ANDERS – daß sie eine Schwedin war. Auch vorbei. Heute war sowieso alles global untereinander liiert. Und keine einzige seiner Überseereisen zählte mehr. Er hätte keinen einzigen Fleck dieser Erde je photographieren müssen.

Der Blick auf das Schild an seiner Bürotür, chromstahlgerahmt DR. LEONHARD BARON in Antiquaschrift, vermittelte ihm den regelmäßigen nützlichen Genugtuungsschubser in Richtung auf die Empfindung, einen Stammplatz auf der Welt innezuhaben. Dieses täglichen Stromstoßes bedurfte er. Warum auch nicht? Was war so lächerlich, womöglich gar verächtlich daran? Es brauchte doch nicht zu bedeuten, daß er mit seinem Ruhestand schlecht zurechtkam. Man war so viel mehr Identität in einem einzigen Augenblick, Lenny spürte, daß er immer auch noch der Mann aus seinen eigenen früheren Zeiten war, und daß es ihm schlechter als seiner leichthin lebenden schwedischen Kyra gelang, ausschließlich in der Gegenwart zu existieren.

Im Flur der dritten Etage vom Firmengebäude spielte Dorle Willich – früher Fräulein Willich, seit Jahren unter allen Umständen Frau Willich und seine Ex-Sekretärin – ein verschrecktes Zurückzucken vor Lenny, und hinter ihrer rechten Hand, die sie gegen den lefzenartig schlappenden Mund klappte, rief sie etagenflurgemäß leise: Owehoweh, Herr Doktor, sagen Sie mir nur nicht, daß es wirklich stimmt und daß ich heute wirklich ihren Tee vergessen habe!

Kein Grund zur Panik, erwiderte Lenny und merkte betrübt, wie gründlich anderer Ansicht er selber war. Von

Panik mußte er nicht der schon wieder ganz besänftigten und ihrer beruflichen Wege weiterzottelnden Frau abraten, sondern sich, dem Pensionär, der unbedingt, und zwar als einziger weit und breit, in der Firma noch immer eine BLEIBENDE STATT erblicken wollte. Vermutlich war wirklich er der einzige Nutznießer des Plans, durch den aus seiner Feder eine Art Monographie der Caltex entstände, eine Firmengeschichte des Hamburger Hauses, sofern bisher von Entstehung die Rede sein konnte. Wie sonst? Entstehungen waren eben so. Siehe Thomas Mann. Lenny las auch gern Virginia Woolf. Eigentlich hauptsächlich, weil Kyra ein bißchen wie Virginia Woolf aussah, und weil er fand, daß ihre planlosen, sympathisch verwilderten, immer geselligen und ungeformten langen Gartennachmittage Virginia-Woolf-Stimmungen heraufbeschworen. Das Englische, überhaupt Angelsächsische, war dem Schwedischen näher als alles Deutsche. Kyra erschien ihm auch als Engländerin denkbar. Übrigens: sie auch, sie war auch eine Nutznießerin beim Buchprojekt, als es für Lenny unter Lennys Anleitung ersonnen wurde. Sie schickte ihn ganz gern aus dem Haus. Jemand wie sie konnte, ohne den Schimmer einer Kränkung aufkommen zu lassen, äußern: Männer verlangen zu viel Andacht, wenn sie im Haus sind. Sie verbreitete solche Ansichten ganz heiter, ganz lose formlos. Freundlich lachte sie ein bißchen über ihn, der sein Büro brauchte. Vor zweieinhalb Jahren hatte Lenny sich noch ungebrochen zur Idee gratuliert, das Caltex-Kompendium nicht zu Haus zu erstellen. Sein Haus wirkte auf ihn wie ein Dschungel voller Ablenkungen. Es war von Kyras Basteleien und von ihrer Puppensammelleidenschaft überwuchert. Überall sah man sich plötzlich von so einem altmodischen strengen weißen Gesichtchen erspäht, ausfindig gemacht in einer Leere, mitten im Delikt

LANGEWEILE ertappt. Lenny wußte, daß er in seinen Zeiten vor der Pensionierung immer mit fassungslosem Erstaunen auf alle Leute reagiert hatte, die sich zum Gelangweiltsein bekannten. Gab es solche Leute überhaupt? Er mußte sich da wohl getäuscht haben. Ich freue mich ungeheuer aufs Lesen zum Beispiel, das war so eine seiner Kundgebungen. Und es wird so gut sein, endlich täglich ordentlich zum Celloüben zu kommen.

Diesen Gefahren von Selbstdisziplinierung wirkte ja dann sofort der Auftrag entgegen, die Firmengeschichte zu dokumentieren. Der Übergang vom Berufsleben in die private Ära wurde so nahtlos unbemerkbar durch den Vorsatz gemildert, tägliche Schreibzeiten in einem sowieso leerstehenden Extrabüro zu absolvieren. Auf diese Weise blieb fast alles beim fast Alten. Lenny war gezwungen, nach wie vor jeden Morgen die kleine Reise in die Innenstadt anzutreten, und auch den Rückweg nach Haus an die obere Niederelbe, in seinen großen Heide- und Wald-Garten und zu Kyras Puppenwildnis und Clanwirtschaft der wie Unkraut sich vermehrenden Freunde und Freundesfreunde von Kindern, Nichten, Neffen, auch diesen öfter und öfter seufzerbefrachteten Rückweg verordnete Lenny sich für die Hauptverkehrszeit. Er war und blieb ein Teilnehmer an allen lästigen rush-hour-Problemen, doch löste er sie seit vier Monaten per S-Bahn.

Damit helfe ich beim Energiesparen zu sagen, fand er immer noch ganz lustig. Caltex müßt ihr tanken, sollte er ebenfalls in Zukunft nicht mehr unter heiterem Deuten auf ein Firmenschild beim Vorüberfahren befehlen und auch den Zusatz DAS GIBT MEINE PENSION weglassen. Er wollte von keinem Familienmitglied mehr hören, er sage das jedesmal. Es gab übrigens kein Familienmitglied, dem er je anvertrauen würde, daß er sich, seit einem komischen Nebel im

Kopf vor vier Monaten auf der Elbchaussee, nicht mehr so recht ans Steuer traute. Lenny ist ein Feminist, war ihm als Slogan so recht, und er ließ stets Kyra ans wildbewirtschaftete Steuer.

Frau Willich hatte Lennys Tee nicht zum ersten Mal vergessen. Im Gegenteil, bald könnte sie auf ihre künstlich melodramatische Art als grotesken Fehler herausheben aus dem täglichen Einerlei, wenn sie an seinen Tee gelegentlich doch noch dachte.

Und er liebt es so, in der Firma zu sein und zu festen Zeiten seine Tasse Tee zu haben, wißt ihr, sechs Stunden Ordnung am Tag wirken einfach wie eine Medizin auf den guten Lenny, erklärte Kyra den jeweils Anwesenden. Die es mit müder mokanter Geduld aufnahmen. Ins Chaos bei Kyra verliebt, waren sie das? Oder war überhaupt kein starkes Gefühl, nichts so Altertümliches wie Verliebtheit, im Spiel? Es ging ihnen allen wahrscheinlich um Bequemlichkeit, um Erschlaffung, und bei Kyra herrschte ein Gastgebertum, das sich durch ein schlappriges Kommen und Gehen und Bleiben und Eintauchen und Abdriften definierte. Die Küche nahm eine Kantinenhaftigkeit an, in der nur Lenny offenbar Probleme mit Fundorten für Besteck beispielsweise oder Käse hatte. Zu einer Art Selbstbedienungsladen, dachte Lenny, ist auch die Bibliothek verkommen. Doch worin unterschied denn er sich von den andern, angesichts der Bequemlichkeit? Er förderte in Kyra ja nicht den geringsten Widerstand, und sein bequemster Weg, der führte nun einmal ins Firmengebäude. Wäre da nicht Picasso, ich machte mich spätnachmittags fast kaum noch so richtig mit Sinn auf den Heimweg, dachte Lenny ungern. Vor 12 Jahren hatte er die Taufe der Neufundländer-Hündin auf einen Namen, der durch einen Mann berühmt geworden war, noch genau so originell und amüsant gefunden wie seine ganze Familie, womöglich hatte ihm das damals überhaupt den meisten Spaß gemacht.

Fräulein Willich, rief Lenny probeweise und nicht laut über den Flur, nur um ihren Geist, der hier obwaltete, zu strafen und mit der veralteten Anrede zu peinigen. Fleischlich gesehen, war sie längst in einem der Dienstzimmer bei wichtigtuerischer Geschäftigkeit gelandet. Ihre Säumigkeiten, auch was das Vorratsschreibpapier betraf, empfand er als Demütigung. Rück das zurecht, so schlimm ist es nun auch wieder nicht, befahl er seinem Bewußtsein, sei der positive gute alte Lenny, mit dem sie zu Haus ein bißchen Streit suchen. Ein Oberhaupt der Familie, das war er doch noch immer, oder wie? Nur suchten sie kaum mehr Streit mit ihm. Diese ermüdeten jungen Leute ringsum schienen ihn aufgegeben zu haben. Ihr sollt mal was erleben, sprach Lenny vor sich hin, sich selber matt überzeugend. Worum ginge es heute abend? Ach, er war verflucht durstig. Und der Durst hatte leider aufgehört, eine Angelegenheit seines Beliebens zu sein, ein Fall für Entbehren, dann Löschen, leider. Denn seit seine Nieren Schwierigkeiten machten, mußte er regelmäßiges Trinken als eine Verordnung des Urologen beherzigen. Ich werde Kyra bitten, mir morgens eine Thermoskanne voll Tee mitzugeben, nahm Lenny sich vor.

Ob ihm die schlechte Luft im 2. Klasse-Wagen der S-Bahn wirklich gut bekam? Wem bekam die schon. Aber heute war ihm etwas übel. Er versuchte, die Leute nicht anzuschauen. Er beabsichtigte nicht, in eine mürrische Verfassung zu geraten. Lauter Fünf-Uhr-Nachmittagsgesichter mit der Stoßzeitmimik. Das Design der eingefleischten kleinen Notlügen prägte alle diese Physiognomien. Es handelte sich um einen gemeinsamen Entwurf, von ähnli-

chen Vorwänden, bereitgehaltenen Ausreden, fand Lenny, und dieses Geflecht der persönlichen Bindungen machte die berufstätigen Menschen seiner S-Bahn-Rückfahrten miteinander verwandt. Er vereinte sie in einem unbedeutenden langweiligen Unglück. Jeder hier fuhr irgendeiner lieben dummen Ausfragerei entgegen. Im Glücksfall übrigens, mußte Lenny sich ergänzen, denn diejenigen waren wohl schlechter dran, die überhaupt nicht erwartet wurden. Die ein bißchen tägliche familiäre Zänkerei wohl der Einsamkeit vorzögen. Das ist nicht deine Art, so über Menschen nachzudenken, guter Lenny, alter Knochen, rügte er sich, fühlte sich reingelegt und angesteckt vom nörglerischen Zeug, das in seinem eigenen wunderschönen Garten rings um die gastliche legere Kyra herum verhandelt wurde. Auch kannte er genug Leute, die mit Vergnügen lebten, egal, ob das nun die tückischen Achtziger-Jahre waren oder nicht. Sowohl Partner als auch Singles, gleichermaßen, lauter wirklich optimistische, innovatorische, ungelangweilte Leute kannte er, und die Finger seiner beiden Hände würden nicht ausreichen, wenn er den Versuch unternähme, sie aufzuzählen. Ältere Semester, gewiß, allesamt, die ihm da in den Sinn kamen. Egal, das fiel jetzt nicht ins Gewicht.
Hinter Othmarschen fing er sowieso an, die Gegend zu lieben. Wenn sehr viel Besuch im Garten siedeln würde, ginge er gleich, aber nachdem er reichlich getrunken hätte, mit Picasso in den Wald, und zwar auf den langen Spaziergang, heute. Von Frau Willichs Vergeßlichkeit bei seiner Teeversorgung würde er kein Wort sagen. Lenny schöpfte Zuversicht, und ein Mädchen auf dem Sitzplatz gegenüber nützte ihm dabei. Sie hatte ihn mit einer Sanftheit äußerst kurz angelächelt, die wie aus tiefer Harmonieverwunschenheit heraufgetaucht war, wie aus einem Roman, mit

Virginia Woolf-Air, dem wahren Klima von dorther, denn
für seine eigene häusliche Szene mogelte er es sich ja nur
mehr zurecht. Das war eins von den Mädchen, die sich
noch hübsch anzogen. Hübsch in einem verjährten Sinn,
wie Lenny begriff, mit so Kategorien wie Taille und
Säuberlichkeit und deutlich gesäumter Rocklänge. Sie
setzte noch auf die Gestaltungskraft von Knöpfen und
Gürteln. Es rührte ihn, daß sie den Gürtel so eng geschnallt
hatte: wie für mich, dachte er.

Es machte nie viel Aufsehen, wenn Lenny am hinteren
Gartenzaun aufkreuzte, sichtbar für alle im Gelände ver-
teilten Gruppierungen. Der schöne lange Sommer währte
und währte, und es blieb lang unhanseatisch heiß. Kyra sah
bewundernswert aus, rosa und unversehrt. Im Zentrum
der Verwahrlosungen bildete sie, ruhig lächelnd ohne
Aussagekraft, einen dauerhaft still vor sich hin zündenden
Sprengsatz der Duldung. Sie konnte so vieles zugleich tun
und es wie Nichtstun erscheinen lassen: ein Kleid nähen,
Kaffeekochen, in eine Zeitschrift schauen, Musik hören,
ohne Aufregung ganz anderer Meinung sein als Sandra und
Felix jetzt eben, während in der Küche in zwei Minuten
schon Apfelpfannkuchen gewendet werden müßten und
der Abholtermin vom Auto in der Werkstatt fast verstrich,
und nur ein bißchen vergeßlich war sie, wenn es darum
ging, Picasso den Tennisball wieder aus der Schnauze zu
nehmen, den Ball von neuem irgendwohin in den Garten
zu werfen, dann den apportierenden Picasso rechtzeitig
für seine Arbeit zu loben. Diese Würdigungen fielen ein
wenig zu matt aus, fand Lenny, ebenso wie die Grußadres-
se an ihn, den Bürorückkehrer, das Familienoberhaupt,
den Ernährer, denjenigen, aus dessen Geldhahn schließlich
diese gesamten untätigen alternativen Wucherungen auf
seinem Gelände ermöglicht wurden. Das waren seine

Münzen und Scheine, mit denen das Lümmeln und Verweigern in unendlichen Diskussionen sich nährte.

Ihr Kinder, der gute Lenny ist da, rief Kyra in ihren näheren Umkreis, ohne jemanden dort in Schwingung zu versetzen.

Hallo, sagte Lenny.

Bist du gut weitergekommen, fragte Kyra.

Es ist mühsam, sagte Lenny, dem doch wieder einmal der Sinn nach Anvertrauen stand. Ich sollte jetzt was trinken.

Warum überschminkte Sandra eigentlich ihr Kindergesicht so puffmutterartig bunt. Von wann an hätte er zu datieren, daß Sandra nicht mehr aufgesprungen war, erstens, um ihn zu umarmen, und zweitens, um ihm ein Getränk zu besorgen? Jetzt hob sie immerhin die Kaffeekanne an, vergaß aber dann, nachzuschauen, wieviel noch übrig war, weil Picasso, ruhmlos geblieben bei Kyra, nun für den Ball in der Schnauze einen besseren Applaudierer in Sandra suchte.

Nele, früher einmal Lennys Lieblingsnichte, erschien mit dem Baby Sascha und diese zwei machten wieder einen nomadenhaften Eindruck, sie wirkten, Mutter und Kind, wie in ein einziges Laken eingewickelt und auf der Flucht, aber langsam.

Armer Lenny, hat er wieder ein Wochenende ohne Büro und die ganze schöne Ordnung vor sich, hm?

Er wird viel lesen, und er wird auch Cello üben, hey du, Lenny, sagte Kyra.

Allmählich fragte Lenny sich, ob das Absicht oder Unvermögen war, bei Kyra, in mehr als zwanzig Jahren nur auf eine äußerst schwedische Weise deutsch zu sprechen. Für Leute, die ihre Herkunft nicht kannten, ergab sich ein merkwürdig bäuerliches Hörbild, und Kyra kam von einem Sonderdialekt nicht los. Der klang eher süddeutsch, und Lenny kränkte das in diesem Augenblick zum ersten Mal deutlich. Er fühlte sich an seine Kindheit erinnert. Bei Verwandtenbesuchen hatte er sich immer dadurch schon seinen oberhessischen Cousinen und Vettern als überlegen erwiesen, daß er, kleiner nördlicher fremdlingshafter Angehöriger des Hamburger Familienzweigs, so scharf und hartkantig norddeutsch redete.

Er liebt das wahnsinnig, wenn er auf die Minute pünktlich von seiner ehemaligen Sekretärin Tee hingestellt kriegt und alles wie früher ist, heile Welt und so, erklärte Sandra einem jungen Burschen in gemarterten Jeans. Den kannte Lenny entweder noch gar nicht oder flüchtig.

Bist du denn durstig, fragte Kyra.

Es ist nur, weil ich zur Zeit viel trinken sollte, sagte Lenny.

Gibt sie dir zu wenig, dort in der Firma, fragte Nele.

Sascha sieht dünn aus, du, für ein Baby, sagte Lenny.

Wieso bist du so durstig, fragte Kyra.

Eine wirklich doch sehr zerstreute Frau. Sollte er denn jetzt vor allen diesen jungen Frauen vom Urologen und von seinen Nieren reden? Die Näharbeit in Kyras Schoß glich einem weichen glibbrigen unübersichtlichen Rätsel. Zufällen oder Eingebungen folgend, stichelte Kyra bald da, bald ganz anderswo im Stoffgebilde herum.

Sie machen am Sonntag alle bei einer Demonstration mit, Lenny, erzählte Kyra.

Lenny, der es übernahm, Picassos Rückkehr mit dem Ball zu feiern, fragte:

Und worum geht es diesmal?

Um die vergiftete Elbe, sagte Felix. Zu diesem Anlaß hatte er sich sogar aus seiner Bauchlage im Gras in eine Art Hocke umbefördert und wirkte jetzt erschöpft. Er schaute Lenny so streng an, als habe er genau in diesem Augenblick in ihm den Schuldigen gefunden. Lenny, der Flußvergifter, kam sich verfolgt vor; andererseits erinnerte schon das Wort ELBE ihn wieder an Durst und fachärztlichen Befehl.

Wenn ich an die Elbe nur denke, kriege ich schon wieder Durst, sagte er, ringend um Freundschaft und kleine dringende Liebesdienste.

Neuer Kaffee ist gleich fertig, sagte Kyra.

Wie lässig sie war. Immer gut aufgelegt, aber doch eine Spur zu lässig, es war auch nicht mehr unbedingt Kaffeezeit, fand Lenny. Für sein jetziges siebtes Lebensjahrzehnt wäre eine Zweitfrau, eine tatkräftige Person mit Gedächtnis und einem Schuß Pedanterie, eine gute Ergänzung.

Das wird doch alles fürchterlich übertrieben, sagte Lenny. Normalerweise lobte er sich selber für seinen Mut zum Widerstand. Ein Anpasser war er nicht. Er wäre gern, so wie vor nicht allzuvielen Jahren noch, von den jungen Verwandten und ihren ganzen Freunden geliebt worden. Doch nicht um den Preis der Selbstverleugnung und der lügenhaften Werbung. Er wünschte ja durchaus, vielleicht von ihnen zu lernen, leger und zugeknöpft wie sie waren, gewiß doch, er sehnte sich nach Argumenten. Normalerweise. Heute aber sprach er seine kleinen rebellischen Texte kraftlos.

Nichts wird übertrieben, sagte Nele, an der Lenny nicht gut fand, wie sie überm Schädel vom Baby Sascha nun eine Zigarette drehte. Das gleichmäßige Kauen von Kaugummi wirkte ebenfalls so unmütterlich. Sie sah ihn in einer Art Absence an.

Kyra hielt ihm einen Teller mit kuhfladenförmigem, auch verdächtig dunkelbräunlichem Gebäck hin.

Probier das mal. Von Elvis' und Pieters kleinem Gärtchen.

Oh Kyra, du bist eine Wonne, ein richtiger Schatz, aber diese Hirselis sind von Tina und Didi. Die Roggas neulich, die waren von uns.

Moni war heute plötzlich eine rothaarige Frau, Lennys weißblondes Töchterchen aus einer Vorzeit des Klavierunterrichts und der Gutenachtgeschichten mit Angstaustreibung durch ihn, der heutzutage vielleicht nicht gerade Angst, aber doch etwas wie Ängstlichkeit empfand, wenn er sie anschaute. Es war ihm früher nicht aufgefallen, daß es, bei gegenseitigem Anblicken, unter anderm auch darum ging, jemandem in die Augen zu sehen. Er hielt das manchmal sekundenlang durch und dann war das aber eine Art Starren, in die hellblauen Augen vom Monichen, und wirklich eine Angelegenheit der Angst. Inzwischen biß er in eins der dunklen Dinger, eine vom Urkorn an selbstgebastelte Unflätigkeit, empfand Lenny, die nach Didis individuellem Dung aussah. Didi und Tina, die beiden im Gras kauernden Erzeuger, fixierten ihn, das Nikotin aus ihren Zigaretten inhalierend.

Wie vereinbart ihr das, sagte Lenny, schaute aber auf Sandra, was im Grunde auf das gleiche herauskam, diese von A bis Z gesunde Kost zu propagieren, alles ohne Chemikalien, und gleichzeitig derartig zu qualmen?

Ach, Lenny, Guter, stöhnte an Sandras Statt Nele, was auch wieder dasselbe war, und außerdem gar nichts war, und Lenny fielen diese berühmten Schuppen von den Augen, Schuppen von vergifteten Elbfischen dachte er noch nebenbei, und daraufhin, als er dieses Hindernis los war, erblickte er nichts anderes als ein Gelangweiltsein. Das er selber für die andern verströmte. Es ging von ihm aus. Er galt ihnen nicht mehr als Dialogpartner. Mit ihm brauchte man sich gar nicht mehr herumzustreiten. Ihn wollte keiner mehr überzeugen.

Ich werd euch nochmal Zunder geben, dachte er. Endlich hatte er in der subversiven Kommunikationshölle von Küche ein halbwegs gereinigtes Glas und eine angebrochene Flasche Mineralwasser gefunden. Hätte der Vorbenutzer sich zu dem Kräfteverschleiß durchgerungen, diesen Flaschenverschluß wieder fest zuzudrehen, dann wäre für Lenny auch noch Kohlensäure in dem Wasserrest verblieben. Alle Flaschen dieses Haushalts wurden, nachdem einer sie in Gebrauch genommen hatte, nicht mehr ordentlich zugedreht, oder verstöpselt, oder verkorkt, kein Gewinde in diesem ganzen Haushalt wurde zu Ende benutzt, keine Dosendeckel drückte irgend jemand noch fest in die Dosenöffnung zurück, alles war ausgeweitet, lasch, schlapp, schlampig. Die Geräte und Gegenstände seines Haushalts glichen den Benutzern. Und wie diese Welt still mürrisch anbenutzt und beschmutzt sich um Lenny herum lümmelte und tummelte, das erboste ihn plötzlich doch sehr. Aber wenigstens hatte er jetzt, wenn auch mattes und lauwarm abgestandenes Zeug, der Vorschrift genügend getrunken.

Komm mit, Picasso, wir gehen mal los, rief er der Hündin zu. Wohltuendes Glück, Mut zur Temperamentsausübung beim Tier: wie in unmakrobiotischen, voralternativen – gewiß auch nicht einfach guten alten Zeiten.

Picasso nahm den Ball in der Schnauze mit. Lenny fühlte sich im Einklang mit der Welt seines heideartigen Waldes, mit dem Sandboden, mit sich selber, oh ja, das war Identität. Zu seiner geläuterten Verfassung paßte es, daß er am Wendeplatz, dem Claudius-Hüttchen, das zivilisierte Mädchen aus der S-Bahn traf. Es saß auf der Bank vor dem Hüttchen. Da Lenny sich ICH BIN EIN ALTER MANN sagte, da er sich sagte ICH KÖNNTE IHR GROSSONKEL SEIN GANZ WIE BEI TINA, fand er es statthaft, das Mädchen anzusprechen. Und trotzdem, er fand es hauptsächlich doch frivol. In den Augen anderer wäre es absolut in Ordnung, und schon saß er, kraulte Picasso, warf den Ball in eine Bodensenkung.

Aber in seinen eigenen Augen tat er Anstößiges. Er fühlte sich sehr jugendlich.

Mittlerweile gab er ganz schön an mit seiner ausgeflippten Menagerie zu Haus, und eben noch hatte die ihn so enerviert. Das Mädchen würde nur noch eine Viertelstunde warten, jede Minute später wäre die Verabredung hinfällig.

Was ich immer nicht verstehen kann, bei meiner lockeren Gesellschaft da im Garten und im Haus, das ist, wenn sie sagen, in diesem Land ist alles schlimm und nicht zum Aushalten. Es ist gewiß nicht alles schön. Lenny wußte, daß er schon besser gewesen war. Aber es ist ebenso gewiß auch nicht alles schlecht. Er hörte auf, ermattet von seinem stammtischmäßigen Wortschatz.

Nicht alles, sagte das Mädchen.

Picasso lieferte den Ball ab. Lenny warf den Ball ein Stückchen weiter in den Wald.

Ein netter Hund, sagte das Mädchen.

Sie ist schon 12, sagte Lenny. Er versuchte, sich an Vokabeln aus »SAGS MAL ANDERS« zu erinnern.

Er hielt es auf einmal für unmöglich, weiterzureden, wenn sie nicht wußte, wer da eigentlich neben ihr auf der Bank saß. Er mußte ihr von der Caltex erzählen. Von dem Buch, an dem er, in seiner Erzählung wundersamerweise ganz flott, täglich schrieb. Wie ansehnlich war doch ein weiblicher Körper, den übersichtliche Kleidungsstücke gliederten. Der Gürtel vom Mädchen leuchtete rot und war so eng geschnallt, gutes Kind. Noch im Sitzen und obwohl sie da beide gleich groß waren, hatte ihre Art, ihn anzusehen, etwas von Aufblicken. Aber der Typ war er wahrhaftig nicht, der so etwas genoß. Seit allerersten Kyra-Zeiten war Lenny ein Liberaler, auch in seinem Frauenbild.

Daß Picasso schon wieder hechelnd ankam und vor allem,

daß er wieder davon abgebracht werden mußte, zwischen den Knien des Mädchens herumzuwittern, das störte allmählich wirklich. Lenny warf diesmal also den Ball sehr weit weg, in eine absolut ungerechte, untreue Entfernung. Zur Strafe fiel ihm viel später, nachts im Bett bei Schlaflosigkeit, Picassos Blick ein, immer und immer wieder, und Lenny zweifelte an Wiedergutmachung. Im Augenblick nach dem Ballwurf hatte dieser Blickkontakt zwischen dem Tier und seinem Herrn eine Trennung bedeutet. Picasso begriff erstaunt und traurig, was das ist: das Unerwünschtsein. Das Böse ist die Abwesenheit des Guten. Das Böse ist ein Mangel an Liebe. Was für eine Gemeinheit, wie niederträchtig, ein Tier in dieses Bösesein unter Menschen hineinzuziehen. Ob Picasso jemals vergäße, als ein Störenfried verraten worden zu sein? Von Lenny, dem Rudelchef. Daß auch jeder Blick Picassos ein Aufblicken war, vergröberte nur Lennys Schuld.

Aber vorerst ja noch, am Claudius-Hüttchen, machte Picasso dann doch wie der vernünftigere Spielgefährte den gewohnten Satz zum Wegspringen, konnte unmöglich wissen, wo der Ball gelandet war, verschwand dann, und Lenny vergaß es auch, das schwarzweiße Fellmuster zwischen den Baumstämmen.

Die allgemeine Wohlfahrt habe ich lang genug mitfinanziert, erklärte er dem Mädchen. Ich habe für all den Mißbrauch, der damit getrieben wird, gezahlt und gezahlt, Jahre hindurch, immer höhere Krankenkassen-Beiträge. Ich bin ein Aussteiger, gewissermaßen, und das in meinem Alter.

Ob er vom Mädchen sein Alter schätzen lassen sollte? Ob er das mal anböte? Auf 70 käme es garantiert nicht. Aber auf irgendwas in den zweiten Sechzigern. Ein überflüssiges Spielchen, so oder so.

Das ist ganz schön risikofreudig, finden Sie nicht?
Gähnte das Mädchen eigentlich oder handelte es sich nur
um eine bestimmte Mundbewegung auf Grund von Neu-
ralgie? Von seinem Nierenbereich nun zu berichten, bot
sich geradezu an. Daß er als Selbstzahler zum Arzt ging,
wollte er doch schon gern noch loswerden. Aber er machte
aus dem Urologen lieber einen Facharzt für Inneres.
Also, kurzum, diese ganzen Kurlauber und Krankfeierer,
die werden von mir nicht mehr finanziert.
Dem Mädchen konnte er ja noch nicht geraten haben, stets
Caltex zu tanken, falls es motorisiert war, oder einen
Freund hatte mit Mofa oder Gebrauchtkleinwagen.
Denken Sie dran, immer nur bei Caltex vorzufahren, Sie
nähren damit die Pensionskasse eines Mannes, der seine
Risiken selbst trägt. Man kann den Jahren nach so alt
werden, wie es nur geht, aber, was mich betrifft, und was
überhaupt Mutigsein betrifft, da fühle ich mich jünger als
die Jüngsten aus dem Lagerleben bei mir zu Haus in
meinem Garten.
Lenny hörte auf und empfand Sympathie für sich und
neues Vertrauen in seine Gegenwart. Der ganze Überdruß
vom heutigen Nachmittag war weg.
Find ich ja nicht so gut, sagte das Mädchen.
Was denn, fragte Lenny sorglos.
Ich meine, von euch Bonzen hängt doch alles ab, ihr solltet
euch da nicht entziehen, und es gibt leider verdammt viele
alte Knacker, die das machen.
Lenny wußte aus der Literatur, daß einem Protagonisten
in einem Moment wie diesem flau oder schwarz vor den
Augen wurde.
Ha ha ha, machte er. Ihm fiel überhaupt nichts ein.
Körperlich fühlte er sich nicht übel.
Das ist nicht komisch, sagte das Mädchen.

Nicht besonders, sagte Lenny.

Ihren Hund sehen Sie, glaub ich, nie wieder, sagte das Mädchen.

Lenny pfiff daraufhin, beziehungsweise, er versuchte zu pfeifen. Es mußte mit Mundtrockenheit zusammenhängen, daß kein Pfeifton entstand. Er würde wieder was trinken müssen.

Wie kann man nur so gepflegt aussehen und so sprechen, ich meine, in diesem Jargon, sagte er. Gleichzeitig, meine ich, ich bin deswegen ein bißchen konsterniert, verstehen Sie.

Ach, lieber Himmel, ich habe die bürgerlichen Klamotten immer an, wenn ich auf den Typen vom Freihafen warte. Wir dürfen nicht auffallen, nicht, wenn's um Hasch geht, alles klar?

Alles klar, repetierte Lenny und fühlte sich, auf andere Weise als am Büroschreibtisch, plagiatorisch, wie ein Simulant, beim SAGS-MAL-ANDERS-Spiel.

Und sogar sein Pfiff nach Picasso – das ging nun wieder, mit mühselig befeuchteten Lippen – klang wie eine Imitation, wie nicht ganz von ihm selber sein Zuruf, so als ahme er einen gleichgültigen Menschen nach, hartgesotten und kaltblütig verkleidet. Kein Wunder, daß Picasso sich daraufhin nicht blicken ließ. Lenny war aufgestanden. Vorhin hatte er eigentlich immerzu noch zum Mädchen sagen wollen: In einem Spielfilm hätte ich dem Regisseur und den Schauspielern das Unverabredete dieses Treffens nicht geglaubt, so etwas von Zufall. Um überhaupt irgendwas noch von sich zu geben, probierte er es jetzt mit diesem nicht gut genug geübten Text.

In Filmen glaubt man so was nie, nicht wahr.

Was denn?

Wir haben uns in der S-Bahn gesehen und treffen uns dann

hier, das ist zu viel Konzept und soll dann wie die Erfüllung eines Wunsches aussehen.

Wieso, in der S-Bahn, wann soll das gewesen sein . . .

Es gab blitzartige Erleuchtungen, wußte Lenny jetzt, denn er hatte eine und er unterbrach das Mädchen in fröhlicher Aufbruchstimmung: Ich erfinde manchmal so Sachen, sagte er rasch, mit der wiedergewonnenen, gut genug vom Speichel gesalbten Stimme. Mit der er diesmal auch auf die vertrauenerweckende Weise PICASSO HIER HIER rief.

An einen richtigen Abschied vom Mädchen konnte er sich nicht erinnern. Aber mit einem triumphalen Gefühl an seine Lüge. Er ging das nochmal durch.

Ob Sie noch zwanzig Mark für mich hätten, bis nächsten Montag?

Das habe ich jetzt nicht bei mir, diese Auskunft Lennys, sie war ja gar nicht hundertprozentig geschwindelt. Erstens: ich bin auf eine Verwechslung reingefallen, Gott sei Dank, und das ist nicht mein gesittetes S-Bahn-Mädchen gewesen, memorierte Lenny. Zweitens: Zwanzig Mark im Wortsinn hatte ich wirklich nicht bei mir. Statt dessen allerdings einen Hunderter und einen 50-Mark-Schein. Ein gutes Gefühl, racheverwandt und vom Aroma des Entronnenseins angereichert, mit der unangefochtenen Brieftasche eines Caltex-Pensionärs, der sein eigenes Risiko ganz allein trug, durch den Wald nach Haus zurückzulaufen, ziemlich schnell, etwas zu schnell für einen nun doch ermüdeten Menschen gegen Ende seiner Biographie.

Der Tagesrest war gut verlaufen. Lenny liebte seine problematische Hausgemeinde wie zum ersten Mal, wie aus Kyras geduldigem schwedischem Blickwinkel. Aus dem Neudeutsch seiner jugendlichen Trabanten fiel Lenny der Begriff SOLIDARGEMEINSCHAFT ein, als er gerührt auf dieses Bild schaute: ausströmende, durch den Wald trottende,

langsam und gutartig streifende Nomaden, so anspruchs-
los in ihren konsumverächtlichen, republikmüden Tü-
chern und Flicken, und das Sascha-Baby glich einem
Oberguru und Geheimzwerg, wirkte als eigentliche Leitfi-
gur dieser Herde, wie es so streng und übernächtigt am
Jubel über den wiedergefundenen Picasso – einer jedoch
gedämpften matten Angelegenheit – aus seinem beutelarti-
gen Hochsitz am Rücken der Mutter teilnahm, ihn mit
stummer Philosophie überwachend.
In Picassos Schnauze klemmte noch immer der Tennisball.
Komm her, komm her, rief Lenny.
Picasso regte sich nur nicht, wahrscheinlich, aus Müdig-
keit. Sie blickte Lenny an und gähnte anschließend. Das
kam einem Zuklappen von Akten gleich. Doch sollte man
gewiß Tierreaktionen nicht übertreiben, wußte Lenny,
und es machte ihm Spaß zuzusehen, wie Picasso nun,
eigentlich gar nicht mehr erschöpft, dem von Kyra gewor-
fenen Ball nachsprang.
Oh Schreck, Kyra, du hast den Ball in den Teich geworfen,
sagte Sandra.
Sie alle saßen jetzt fast so zur Gruppe geschmiedet zusammen, als habe das was von früheren Zeiten, mit Lenny,
dem beliebten Anführer von Kindern, Nichten, Neffen,
beliebig vielen Freunden. Und so viel hat sich gar nicht
geändert, sagte er sich. Ich genieße Narrenfreiheit, wie von
jeher, nur wurde alles etwas schlaffer, und ich sollte sie zu
genießen versuchen, ehe sie wirklich auswandern, ehe sie
nicht mal mehr für die vielleicht tatsächlich schwerkranke
Elbe auf die Palme gehen.
Ich habe vorhin ganz interessant mit einem jungen Ding
geredet, einem Haschisch-Mädchen, sagte er.
Ehe sie ihn aber nicht drängelten, die Geschichte richtig
und gründlich zu erzählen, stand er lieber auf. Er ging zu

Picasso, die am Teichufer stand und auf den Ball starrte. Obwohl er sich die Hosenbeine bis fast zu den Knien herauf naß machte, um den Verrat am Tier zu tilgen, klappte das später so schlecht, das Einschlafen.

Tiefe Not

Schon wieder, wenn man jede Einzelheit ernst nahm, ein Fall von Umkehr- und Reue-Pflicht, dachte Sylvia nachmittags gegen fünf Uhr, als sie in ihrer Küche mit den Vorbereitungen für die Abendgeselligkeit anfing. Als erstes strich sie diese nette Idee, die beiden Kubas mit einem Kartoffelsalat zu überraschen. Die Sache mit den heißen Würstchen erforderte von der Hausfrau das doch beträchtliche Opfer, stets auf der Hut zu sein und also am Herd zu stehen, während die anderen weiterplauderten, denn mit aufgeplatzten Würstchen wollte sie sich nicht noch einmal blamieren. Das geschieht ja mehr Anton zuliebe, begnadigte sie sich bei dieser Bewußtmachung. Die prompten inneren Entschuldigungen hatten jedoch zu viel von einem Reflex. Dieser Mechanismus funktionierte ein wenig zu geölt. Und der Einfall PARADIESCREME starb soeben auch. Irgendwelches Knabberzeug tat es erstens wie überall auf den mehr improvisierten Parties und paßte zweitens besser zum Wein.
Der Verdicchio schmeckte Anton und ihr etwas – aber wirklich kaum – weniger gut als der Entre-deux-mers, also gab es den Verdicchio. Ich bin beim Thema, dachte Sylvia. Und knapp drei Stunden später, nach der ebenfalls zu einer allerdings ratlosen Gewissensverzweiflung einladenden TAGESSCHAU, wären die Kubas beeindruckt, vom kaum weniger guten Verdicchio, unkundig wie sie waren, hierin übrigens den meisten Leuten aus ihrem Freundeskreis ähnlich. Wie sie doch alle bei den deutschen Weinsorten stagnierten, aus törichter Unternehmungsschwäche. Oder fürchteten sie, die Hürde ihrer Knauserigkeit nehmen zu

müssen? Sylvia beschloß, den überzeugend gemäßigten Ladenpreis des Verdicchio nicht bekanntzugeben. Sie würde sich selber einige private, unbemerkte Zwischenrunden einschenken. Sie war nun mal, in welcher kommunikativen Abendrunde auch immer, die vom Wesen her Zügigste. Zu dem Kater, den ich mir für morgen einhandle, werde ich voll JA sagen, beschloß sie jetzt schon. Volltönend, und eben büßerisch, pilgrimhaft. So eine Vergiftung wird vorzüglich passen. Der morgige kathartische Tag wäre wie dafür erfunden, endlich den guten armen Samuel zu erlösen. Sylvia spürte es geradezu körperlich, wie Kräftewachstum, daß sie über die ersten paar spärlichen Ermittlungen in Sachen seiner Buß- und Bettags-Schularbeit hinausgelänge. Dieses Thema hatte schließlich sie selber ihm soufliert, armer Teufel, der er war und dies nun büßen mußte, mütterliche Gewissensakrobatik, Schuldbewußtseinswahn! Sie würde ihm einige Marginalien in die Maschine rattern, morgen schon, oh ja, schön toxisch, schön reuevoll. Ihren Einflüsterungen verdankte Samuel immerhin bereits den Anfangssatz: »Von jeher war Martin Luthers AUS TIEFER NOT SCHREI ICH ZU DIR mein liebstes Lied im Gesangbuch.« Seinen eigenen Sohn hatte man sowieso auf dem Gewissen, in lebenslänglicher Unentrinnbarkeit. Wieder so ein Einfall, aber kein für Samuel brauchbarer.

Ich fahr jetzt mal los, sagte Samuel, der plötzlich in der Küche aufgetaucht war und an einer Coca-Cola-Dose saugte.

Schatz, ich hab gerade an dich und deinen Religionsaufsatz gedacht, rief Sylvia ihm vergnügt zu. Sie fand im Geschirrschrank zwei Näpfchen, auf die Stefani Kuba garantiert neidisch würde, und in ihnen das Knabberzeug zu servieren, leuchtete wirklich ein.

Was für einen Religionsaufsatz?

Über den Buß- und Bettag, der muß doch endlich geschrieben werden. Du kannst das doch nicht vergessen haben.

Samuel sah jetzt ein wenig leer vor sich hin und lustlos dann ins meistens zu aufgeregte Gesicht seiner Mutter.

Sylvia fühlte, daß sie, um ihm besser zu gefallen, sich zügeln sollte, dämpfen, beruhigen.

Der Anfang steht doch schon, oder, fragte Samuel. Das mit dem Lied von dem Luther, oder wie? Ich fahr jetzt mal los, okay?

Also, wenn du das bereits ANFANG nennst und daß der STEHEN würde, mit einem einzigen Satz und sonst gar nichts, sagte Sylvia. Weißt du überhaupt noch, für welches Lied du dich entschieden hast?

Samuel zog einarmig, die Coca-Cola-Dose nicht aus der rechten Hand lassend, sein federleichtes Polyesterjäckchen mit dem Metallic-Effekt an.

Irgendwas mit TIEFER NOT und so, ich schrei zu dir, oder wie? sagte er. Ist das klar, daß ich heut zum Essen nicht da bin, Mami, ist doch okay, oder?

Klar, sagte Sylvia, und OKAY OKAY murmelte sie vor sich hin, während sie sich nun gegen die Barockweingläser entschied. Zum Prahlen zwar geeignet, aber doch bei jeglicher Ungeschicklichkeit auf eine allzu luxuriöse Weise gefährdet. Und verstanden die beiden Kubas überhaupt irgendwas von Antiquitäten?

Sammy müßte, wenn sie morgen ihre Vorstudien für ihn beendet hätte, nur noch ihre zu erwachsenen und wahrscheinlich etwas zu verwegenen seelischen Erkundungen in seine unlustige, gefühls- und pulsschwache Pubertätssprache zurückübersetzen. Vermutlich könnte sie kaum widerstehen und würde ihm auch diese Imitationsarbeit noch abnehmen. Jetzt knurrte der schwächliche Motor von Sammys Mofa wegabwärts und war bald nicht mehr zu hören.

Ich werde einfach das Gefühl nicht los, unentwegt doch irgendwie ein bißchen schuldig zu sein, dachte sie, und so ähnlich wollte sie das am Abend mit den Kubas bringen. Womit sie sich allerdings – was für eine paradoxe Nebenwirkung! – tatsächlich schuldig machen würde, Anton gegenüber nämlich, der sich vor derartigen Bekundungen seiner Frau regelrecht fürchtete. Und war er nicht im Recht? Was ging denn ihr hypochondrisches Gemütsleben diese Leute an? Es läge außerdem keinerlei Gerechtigkeit darin, bloß sich selber zu bezichtigen, wie ein Stück insektenumschwärmtes, schneckenbesudeltes Fallobst. Glaube ich eigentlich an die Erbsünde? fragte Sylvia sich und entschied sich gegen eine Reinigung vom Glastisch. Heute abend entständen so viele neue Fettflecken, Abdrücke von Glasrändern, Krümel lägen herum. Die Leute benahmen sich nicht anständig. Außerdem waren Anton und sie immer für gedämpfte Beleuchtung. Man sähe gar nichts.

In bin Anhängerin der Jammertal-Theorie, erklärte Sylvia, gerichtet an Jochen Kuba, der gezielt – in mütterlicher Absicht für einen Sohn: schöne Tat, tugendhaft – als ihr Gast im Ledersessel saß, evangelischer Pfarrer der er war.

Wird von uns seit langem abgelehnt, sagte Stefani Kuba. Wir wollen das lebenswerte Leben.

Heutzutage wartet keiner mehr aufs Jenseits, sagte Jochen Kuba. Die Dinge sollen gefälligst jetzt schon stimmen. Er klopfte mit dem Zeigefingerknöchel auf den niedrigen Glastisch, schien das Gebäckangebot grimmig zu meinen und sagte: Hier und jetzt.

Wie gut, das Glas nicht blankgewischt zu haben. Sylvia rief:

Ich kann euch Pfarrer allesamt nicht mehr so richtig gläubig finden. Ich kenne keinen, der mir nicht als Allererstes auseinandersetzen würde, daß er ja eigentlich ein Atheist ist und sich sowieso derzeit hauptsächlich mit Kernkraft und Dritter Welt und irgendwelchen Raketen beschäftigt.

Sprich bitte nicht in diesem Ton von der Friedensbewegung, falls du auf die abhebst, sagte Stefani.

Weißt du, ich wollte einfach mal einen kompetenten Rat, sagte Sylvia. Wie ihr wißt, muß Samuel eine Arbeit über den Buß- und Bettag absondern, und der heiße Tip stammt von mir. Sylvia lachte. Daß sie damit die Kubas nicht ansteckte, traf sie nicht, aber wie wenig Anton aufzufrischen war, bereitete ihr einen altehelichen Kummer. In der gleichen Weise quälte es sie, wenn sie beim Beobachten einer Szene zwischen Samuel und gleichaltrigen Burschen, blitzartig begriff, daß er nur so tat, mit Anstrengung, als gehöre er wirklich dazu. Schau her zu mir, Toni-Liebchen, rief sie Anton mit einem dringenden Bewußtseinsflehen zu, ich nehme das Ganze doch halb so ernst. Anton blieb so, weißlich, entfernt, er sah leer und schläfrig und weggetreten aus.

Bißchen hart, die Buß- und Bettagsthematik, für einen Sechzehnjährigen, findest du nicht, fragte Stefani. Ist ihm schlecht? Anton? Ist ihm schlecht, Sylvia?

Da drüben sitzt er und kann schon sprechen, meine Liebe, sagte Sylvia.

Was hat denn euer Sammy ausgerechnet mit Religion im Sinn? Ist er in einem Leistungskurs? fragte Jochen Kuba. Dann finde ich nur komisch, daß er nicht mal mit den andern damals im Juni zum Kirchentag getrampt ist. Sag mal, will wieder eins von diesen ekelhaften Nierensteinchen aus dir heraus, mein armer Anton?

Vorgebeugt fragte Stefani und der Blick von ihr zu ihm, sein Wegschauen inbegriffen, nahm einen Charakter von Mutter-und-Kind-Intimität an. Sie bringt ihn dazu, daß er so aussieht, als hätte er in die Hosen gemacht, dachte Sylvia, und empfand ingrimmige Liebe zu ihrem Schützling, dem dreiundvierzigjährigen Geschäftsführer einer Privatbank.

Hört mal, ich hoffte, aus euch könnte ich ein paar Buß- und Bettagsfunken herausschlagen, rief sie eine Spur zu laut. Aus euch Profis, nun enttäusch mich nicht.

Weißt du, ausgerechnet dieser da unter den kirchlichen Feiertagen, man muß ihn einfach mehr und mehr für problematisch halten, wenn man ihn, wie du leider beliebst, nicht unter den Insignien von nuklearer Bedrohung und Hunger in der Welt sieht, sagte Stefani, und Jochen denkt wie ich.

Die Leute machen sich schon sowieso nichts aus dem November, sagte Jochen Kuba. Volkstrauertag, Totensonntag, schlechtes Wetter, und dann auch noch dein Buß- und Bettag ...

Richtig, sagte Stefani, der Buß- und Bettag ist mit dran schuld, daß die Leute die Nerven verlieren ... Obwohl, dieses Jahr haben wir es verhältnismäßig leicht, wegen der Behinderten, verstehst du? Laß darüber Sammy schreiben. Unsere hochindustrialisierte westliche Zivilisationsgesellschaft ist nach wie vor voller Egoismus und behindertenfeindlicher Einrichtungen, vom Straßenverkehr bis zu rollstuhlungeeigneten Lifts. Also, laß ihn das machen, bestimmt.

Ich dachte, es sollte was Individuelles sein, sagte Sylvia. So was wie ein Abbittegefühl, das in jede Minute unseres ganz gewöhnlichen Tagesablaufs untergebracht werden müßte.

Jochen Kuba fing an, Anton ein bißchen ähnlich zu sehen. Ihm gefiel es nicht mehr so recht in seinem Sessel. Stefani hingegen wirkte unverdrossen lustvoll.

Sylvia, meine Beste, du bist gewiß der Typ für Reue und etwas Hysterie, ich bin sicher, du brauchst das. Es macht deine Webarbeiten so vielschichtig, wirklich, sie regen zum Nachdenken an. Aber andererseits bin ich genauso sicher, daß deine Isolation längst nicht mehr erlaubt ist, in unserer Zeit.

Was ist das für eine Zeit?

Sag ruhig, was das ist, sag's ruhig, drängte Jochen Kuba seine Frau, die jetzt ein wenig an Schwung eingebüßt hatte.

Na ja, Nord-Süd-Gefälle, Wettrüsten, ich wüßte nicht, wem das noch nicht zu Ohren gekommen wäre, sagte sie, und an der Art, wie sie mittlerweile beim Verdicchio zugriff, erkannte Sylvia, daß auch der Freundin ein Alkoholkater für den nächsten Tag gewiß war. Nicht mehr sehr lang und ich rede als Vikarin, wie ihr wißt, schloß Stefani Kuba. Hast du noch einen Schluck für mich?

Und Launenhaftigkeit ist Schuld! Sylvia fühlte sich gut. Schlechte Laune, wie man sie oft genug hat, einfach so, Stimmungen, du weißt, Anton, wovon ich rede, Ärmster, hm? Oder das: wir machen zu dritt eine Radtour und ich, ich fahre nicht gern genug mit. Schuldig!

Da fällt mir eben wieder diese Initiative ein, ich glaube nicht, daß wir eure Unterschriften schon haben, sagte Jochen Kuba, ohne abgewartet zu haben, daß sein Mund von Salzbrezelchen frei geworden war. Er legte im Gegenteil, als gelte es, einen Ofen zu speisen, und auch wie um Briketts besorgt zwei neue Salzbrezelchen nach und fügte hinzu: Ich spreche von der Mühlheimer Friedens-Initiative. Ich meine jetzt nicht die Initiative Nordwest. Da habe ich aber, fürchte ich, auch noch nicht eure Namenszüge drunter. Die Liste ist lang, aber mir nicht lang genug.

Wieso füttere ich eigentlich diese Leute, fragte Sylvia sich. Wenn die beiden so weitermachen würden, was Stefani betraf hauptsächlich mit den Salzmandeln, dann käme der Moment, und Sylvia müßte sich in der Küche irgendeine Versorgung einfallen lassen, die nicht aus Tüten oder Dosen stammte. Sie müßte entweder ein paar Brote mit Salami machen oder den Apfelstrudel in den Backofen schieben.

Er hat ja schon diesen so ungeheuer biblischen Namen, euer Sammy, sagte Stefani Kuba, und ich weiß nicht, ob das nicht bereits genug Belastung für ihn ist, seinen Altersgenossen gegenüber.

Wieso, keine Spur, zumal alle genauso wie du eben Sammy als Ausweg wählen.

War's nicht damals wegen Beckett, Sylvia, daß wir ihn so nennen wollten?

Anton sah und sah nicht glücklich aus, und deshalb, auch weil ihre Sünderstimmung währen sollte, gab Sylvia ihm recht.

Beckett und Bußtag, wie kann man für BEIDES zusammen sein, sagte Stefani.

Warum nur rüttelte sie, jeweils bevor sie die Ladung Mandeln in den offenen Mund warf, an der Handvoll, wie bei einem Würfelspiel. Wenn ich ihr jetzt was Gemeines sage, dann wird es morgen eine frische Erinnerung sein, und zwar an übliche, schickliche Schuld in weiter Entfernung von Atomkraft und Entwicklungsländern, dachte Sylvia, und ich könnte sie ganz scheinheilig BENUTZT DU EIGENTLICH EIN HAARWASSER fragen und daran anschließend, daß natürlich kein Haarwasser auf der Welt neues Wachstum bewirken kann, aber immerhin vielleicht einen Stop, nicht wahr, Liebe? Und ich werde wissen, wovon ich für Sammy rede, und ich werde Freundlichkeitsversagen, Gefühlsschwäche für ihn ummünzen können – aber wie? In eine Weigerung, sein Mofa zu verleihen? Mir bei der Gartenarbeit zu helfen? Das traf beides nicht, was Sylvia meinte. Was sie mehr spürte, winzig und nagend, stetig feindselig bereit, jederzeit möglich. Sie wandte sich von diesen pfadfinderhaften oder quäkermäßig weltundlebensanschaulichen Beispielen ab. Sie hatten zu viel mit Taten und zu wenig mit dem Bewußtsein zu tun.

Gestern habe ich ihm, Sylvia deutete auf den inzwischen zu einem Dialogpartner herangereiften Anton – weil es jetzt um Pfandbriefe vermischt mit Ärger über Handwerker ging – ihm da, dem Guten, einen ganzen Tag vermasselt, zumindest den Nachmittag.

Hast du das, fragte Anton, was Sylvia geradezu anführerformatig von ihm fand. Aber er ließ keinerlei Neugier durchblicken, auch nur ein Wort mehr darüber zu erfahren. Anders als Stefani Kuba.

Und wie ging das vor sich? fragte sie.

Einfach dadurch, daß ich nicht in Fahrt war. Ich war dysphorisch, verstehst du?

Nicht besonders gut.

Schlecht gelaunt. Was bereits Schuld ist.

Das hatten wir schon, sagte Anton. So mutig-schicksalsergeben hatte er vor drei Wochen immer in den Intervallen zwischen seinen Nierensteinkoliken ausgesehen. Von der einen erlöst, der kommenden entgegenblickend. Ins Auge des Krampfes, ins Herz des Hurrikans, genannt Schmerzzustand. Es war überhaupt nichts los, gar nichts, sagte er nun zu Jochen Kuba, denn Stefani Kubas Blick konnte er nicht ergattern, der blieb von Sylvia gebannt. Stefani hatte etwas Trabantenhaftes, wie sie immer wieder vom skurrilen Gestirn Sylvia in eine Umlaufbahn gezogen wurde.

Und das ist es ja eben, sagte Sylvia, daß nichts los war, nichts Besonderes! Man müßte es doch verstehen, in seinem eigenen kleinen Umkreis jeder, es ständig besonders sein zu lassen, wichtig!

Stell ich mir eher anstrengend vor, sagte Anton zu Jochen, aus dessen Bart eine Art von eselsmäßigem Geräusch als Unterstützung hervortrat.

Schließ dich einer unserer Gruppen an, und du hast es geschafft. Kriegst nie wieder mit schlechtem Gewissen zu tun, sagte Stefani.

Wie oft besuchst du deine Eltern? fragte Sylvia. Aber das Ende ihrer Hochform sah sie schon kommen.

Oft, oft, sagte Stefani.

Man muß in den Familien nett sein, sagte Sylvia.

Die Haustür wurde jetzt auf die für Samuel typische Weise zugeworfen.

Nett sein in der Familie kann man am besten als vollausgelasteter Mensch, du, sagte Stefani.

Sylvia dachte: Sie weiß es nur noch nicht, aber sie kriegt eine Glatze, und ich habe sie in der Hand, diese kleine helle Stelle da oben auf ihrer Schädeldecke, und es fehlt nur noch ein einziger stumpfsinniger Ratschlag von ihr bis zur Schwelle, über die ich mit meinem entsetzlichen winzigen wichtigen Hinweis gehen werde. Samuel stand im Zimmer, unentschlossen, ob er die Kubas mit Handschlag begrüßen müßte. Sylvia wünschte, das zu verhindern. Sammy gab immer so lasch die Hand, er wußte einfach nicht, was er mit einem fremden Stück Fleisch in seiner Hand anfangen sollte.

He du, du mußt eine Faust drum machen, sagte da Stefani, du mußt zudrücken.

Kannst du wirklich dieses Kirchenlied leiden, Sammy, fragte Jochen Kuba, AUS TIEFER NOT, warum denn bloß, was hat das mit einem gesunden Burschen wie dir zu tun, he? Stammt von Mami, oder?

Wegen der Musik, glaub ich, doch, ich kann's leiden, oder die Stimmung, sagte Sammy und sah Sylvia an.

»Der Buß- und Bettag signalisiert eine Störung im Verhältnis zwischen Mensch und Gott, und als Gedenktag dokumentiert er den Willen des Menschen zur Umkehr«, schrieb Sylvia am späten Vormittag des nächsten Tages in die Maschine. Sie war stolz darauf, daß es ihr glückte, die Sprache des Schweizer Lexikons noch zu vereinfachen. Ihre sämtlichen persönlichen Sühneinspirationen hatte sie gestern abend schon verabschiedet, im Augenblick von Sammys freundschaftlichem Beistand.

Das kann ich ja nicht gebrauchen, murrte Sammy später, was soll ich denn mit all den verdammten Fremdwörtern.

»Am Buß- und Bettag denken die Christen daran, daß sie gefehlt haben und zu Gott hin umkehren wollen«, tippte Sylvia, empfand die Selbstgeißelung mit Genuß, aber auch, daß es ein wenig und erbsündenfallartig den häuslichen Frieden störte, wie laut sie AUS TIEFER NOT SCHREI ICH ZU DIR sang, bis übers Abendessen hinaus und hinein in Antons und Samuels Nächte.

Feldeinsamkeit

Ich stand in ihrer Küche. Ich wollte mich nicht umschauen und tat es doch. Aufgeblendet im Mittagslicht: dort am Herd die kleine Gruppe ihrer paar Gerätschaften für den Abendimbiß. Sie benutzt längst nicht mehr das ganze Geschirr, sie nimmt immer nur dieses Messer, diese Gabel, diesen Löffel. Wie aufgeräumt doch alles war, für keinen und jederzeit für alle. Psychologen loben Alleinlebende, die an einem strengen Ordnungssystem festhalten. Das ist nicht das beste Näpfchen aus ihrem Hausrat, für das sie sich entschieden hat. Die Junisonne schien auf ihr Dezemberkalendarium. Da bin ich sehr erschrocken. Fast dachte ich, ich könne ihr noch auf die gewohnte erzieherische Weise einen Rat geben, noch so wie gestern abend etwa, am Telefon: Mach dich doch damit nicht verrückt! Komm nicht, komm nicht, den weiten Weg zu mir heraus, so früh am Morgen! Das wird zu anstrengend! Was schlägst du denn den Kalender schon mitten im Sommer um und blickst gebannt auf den Dezember? Lies mal Pascal und benutze doch die Gegenwart!

Weil am nächsten Tag die Putzfrau käme, war alles gründlich von ihr geputzt. Sie würde gar nicht einmal finden, daß das nun umsonst geschehen sei. Sie hätte es gern, daß fremde Leute, die mit ihrer letzten Angelegenheit befaßt sein müßten, ihre Zimmer schön und gepflegt vorfänden. In ihren Markierungen der Feiertage, die ein Wochenende in Mitleidenschaft zogen, erkannte ich meine Abwehr ihrer Vorbestellungen wieder: Bist du dann da? Wirst du verreist sein oder Gäste haben? Es wird schwierig sein, für so lange Zeit einzukaufen. Alles halb so schlimm, mein Gutes, du wirst schon sehen, und es ist uns doch noch jedes Jahr gelungen, etwas wirklich Schönes draus zu machen. Stimmt's? Na siehst du, und es ist ja leider wahr, aber viel Zeit habe ich nicht, werde nicht viel Zeit haben.

Sie hat nie in ihrem ganzen Leben keine Zeit für mich gehabt. Ich erkannte in diesen Markierungen unsere gemeinsame Angst wieder. Diese gemeinsame Angst ist etwas Neues und Ungutes aus unserer letzten gemeinsamen Zeit. Sie hatte das Studium der Weihnachtsfeiertage schon so früh aufgenommen und Ringe um die Daten gemacht, für die sie sehr langfristig nach einer Herberge suchen mußte, weil ihr guter kleiner braver Körper sich treu an die Gesetze von früher hielt. Für ihn und für ihr Gemüt brauchte sie ein Quartier. Der Kugelschreiber muß sie beim Einzeichnen geärgert haben. Kugelschreiber muß man senkrecht nach unten halten, verstehst du?

Angenehme Leute, die Leute vom Institut Helfrich, so ruhig und stetig, und daß der junge Chef jemals ein nicht stark bekümmertes Gesicht macht, kann ich mir nicht vorstellen. In der Gesellschaft dieser Professionellen fühlte ich mich sicher. Ich fühlte mich wie nach einem Hausputz, alles fertig. Natürlich wie eh und je bis auf die ewigen Reservate des demnächst zu Tuenden, die bleibenden Schlupfwinkel für die Unordnung und festeingefahrenen Schmutz. Mit dieser Sorte von schlechtem Gewissen lang vertraut, war mir eben noch nach getaner Arbeit zumute gewesen. Da nahm ich den Kalender von der Wand und klappte die Seiten zurück und gelangte in den laufenden Monat. Wie sie den gestrigen Junitag zugerichtet hatte! Das kommt von der zuerst getroffenen, dann durch mich getilgten Verabredung, habe ich sofort gewußt und bin doch in eine gereizte Stimmung geraten. Das Fragezeichen vom vorangegangenen, ebenfalls nicht erfüllten Termin, dem 2. Juni, hast du ja auch nicht so wirr und wie in einer Verstörung durchgestrichen, mahnte ich sie stimmlos in der üblichen Panik beim Abschirmen. Ich erkannte jetzt erst eine Notiz, die auch zum gestrigen Datum gehören sollte, aber in die Kästchen für die folgenden Wochentage übergetreten war. BRAHMS, FELDEINSAMKEIT las ich. FÜR H. üben. H. stand für meinen Vornamen. Warum hast du mich als diese strenge erwachsene gouvernantische H. abgekürzt? Schreibst du also, wenn du mit dir allein bist, mich nicht in unserer Kosenamensform hin, denkst du dir demnach nicht das Kindchen aus, unser Spielzeug, das wir offiziell verwenden, als das ich dir und mir doch leichter und bekömmlicher bin, ist es denn nicht so? Bist denn womöglich du selber erwachsen?

Aber meinen Wunsch, noch einmal von ihr FELDEINSAMKEIT zu hören, den muß sie ernst genommen haben. Ich war jetzt auf der Hut vor noch genauerer Wahrnehmung. Sofort weinen, vor der Anschauung, sofort in etwas ausbrechen, vor der Anhörung, von etwas überfallen werden, vom einfachen gradlinigen gerechten und schönen Schmerz! Vergeblich befahl ich meinem Verlangen. Denn jetzt hörte ich ihre vorsichtig frohlockende Stimme mit dem Adventslied, schüchtern und keck in einem Gleichklang, und auf ein Lob hin würde sie sich zu mehr Mut und einem Schwung wie von früher erheben. Aber du irrst dich, das ist nicht Brahms, du müßtest es besser wissen. Sie probiert und probiert, sucht und sucht. Ich sah in ihr leichtes Stirnrunzeln. Sie hat das, wenn sie sich mit etwas Mühe gibt. Es kommt von einer Anstrengung. Sie will etwas ganz richtig machen. Ihre Augen schauten mich an. Sie erarbeitete sich Melodie und Text, verwegen für und gegen mich, glaubenskampflustig, sang nun die Stelle SIE HAT IHN AUCH GEBOREN. Daß die Musik vorschreibt, ausgerechnet das Wort GEBOREN so zu strecken, und daß es auf diese Weise so übermütterlich an eine Frauenarztpraxis erinnert, störte sie, beim gleichwohl abgetrotzten Singen, aber sie genierte sich ja sowieso schon ein bißchen vor dem gesamten Vorgang und gleichzeitig empfand sie in ihm ein besonderes Rückkehrglücksheimweh.

Der junge Chef vom Bestattungsinstitut sah sehr trostlos aus, als er zu mir in ihre helle aufgeräumte Küche kam.

Es scheint sich ja, den Ehering ausgenommen, um recht wertvollen Schmuck bei den Ringen zu handeln, sagte er. Wenn Sie es also wünschen, nehmen wir die Ringe herunter. Sie müssen bedenken, bei aller Trauer, daß ihr von nun an nichts mehr weh tut.

Jetzt widersprechen! Jetzt dich rächen! Dein kosenamensförmiges und ganz und gar unvernünftiges Spielkindchen sein! O doch, o doch, das tut ihr schrecklich weh. Ruf ihm das zu!

Es tut mir leid, daß wir Sie ein wenig aufgehalten haben, sagte der betrübte Chef.

Ich war gestern sowieso mit ihr verabredet, sagte ich.

Das hat man nur ganz selten, daß es so aus heiterem Himmel geschieht, sagte er. Sie war nicht krank und gar nichts?

Nicht krank und gar nichts, antwortete ich und wußte nur noch nicht, wie ich seinen HEITEREN HIMMEL in meinen nächsten Satz einbauen könnte.

Sie hat nicht mehr anzurufen versucht? Um Hilfe gerufen?

Nachts hätte sie nie telefoniert, sagte ich streng, als gälte es, den Todesfachmann zu warnen.

Ein hohes Alter, wie schön für Sie beide.

Zum ersten Mal hatte ich den jungen kummervollen Mann etwas weniger gern. Ich wollte das Mißverständnis aufklären und ihm sagen, daß sie nur den Jahren nach alt war.

Aber als ich damit anfing, und ihm von ihrer Kindlichkeit erzählte, erkannte ich meinen Fehler.

Das hat man dann leider meistens, sagte er wie kurz vorm Weinen. Sie werden verwirrt, bringen alles durcheinander . . .

Oh, sie nicht, gar nicht, rief ich. Sehen Sie, sie hat sich gerade erst vorgenommen, FELDEINSAMKEIT für mich zu üben. So war sie.

Ja, die Einsamkeit, es ist immer dasselbe, sagte der Chef.

Es ist Brahms, sagte ich.

Wie schön, nicht wahr, bei aller gebotenen Trauer, nicht wahr.

Schön auch, wie ordentlich hier alles ist. Ich deutete durch die helle Küche, sah aber nicht mehr auf ihr mittags schon fertiges Abendimbißgrüppchen. Nur mit dem Garten ist sie nie richtig fertig geworden.

Diese alten Damen, man wird sie vermissen, sehr bald schon, und gerade in meinem Geschäft, sagte er. Wenn es also recht ist, kümmere ich mich jetzt um die Angelegenheit mit ihren Ringen.

Aus kindischer Angst, die kennst du doch selber nur zu gut, aus dieser Treulosigkeitsangst vor Leuten, ließ ich ihn, ohne zu widersprechen, gehen. Ich hatte auch einen Termin um 15 Uhr nicht mehr absagen können, befand mich also in Zeitnot. Das hier mußte einmal abgeschlossen sein. Ich blickte aus dem Küchenfenster und sah in einen Anfall von Brennesseln. Das ist ein furchtbar gutes Brennesseljahr, war unser kleiner Witz vom letzten Mal. Dich hat das Unkraut gestört. Laß es doch wuchern, riet ich dir, telefonisch wie meistens. Es handelt sich um Chlorophyll, verstehst du, Luft zum Atmen. Gut, laß ich's wuchern, hast du geantwortet und ein bißchen gelacht. Dein Gesicht beim Lachen dieser Art sah ich jetzt erst zum innerlichen

Widerhall deiner Antwort, und das Stirnrunzeln von der Rückgewinnung einer Melodie hat mich endlich wachgerüttelt. Ich lief aus der Küche, dorthin, zu dir in fremder Gesellschaft.

Freundlich und bekümmert waren der Chef und sein Gehilfe darin sehr geschickt, dir die Knochen zu brechen. Zu spät, um dich mit deinen Ringen wegzuschicken. Zu deinen geschlossenen Lidern paßte dein mühevoller Gesichtsausdruck gar nicht so gut, aber manchmal beim Schlafen hast du auch schon unerlöst ausgesehen, so ein wenig nach Ischias, bevor die Injektion geholfen hat.

Als dann, beim Überreichen der kalten kleinen Ringe, der junge und nun zur Verzweiflung gefaßt entschlossene Chef mich nach ihren Lieblingsblumen gefragt hat, habe ich endlich einen großen rätselhaften Verrat rückgängig gemacht und BRENNESSELN gesagt, und daraufhin ist unser Mutter-und-Kind-Spiel WER ZUERST LACHT viel rascher als je zuvor zu Ende gewesen, es hat kaum eine Minute gedauert bei dir – wie also sollte ich ernst bleiben?

Strafporto

Es ist wirklich viel zu heiß draußen, und sie sollte das Haus nicht verlassen. Aber das Gefühl, daß sie da heute morgen irgendwas mit der Frankierung falsch gemacht hat, plötzlich aufgetaucht, das ist so ärgerlich, so störend, eine gleichmäßige Belastung. Und es gibt und gibt sie noch, die Chance, diese Peinlichkeit aus der Welt zu schaffen. Um 17¼ wird der Briefkasten geleert. Sie kann rechtzeitig dorthin aufbrechen, sie kann im Häuserschatten langsam gehen, dann den Postler abfangen. Die Sommerglut ist doch auch was Schönes. Daß sie sich vor allem möglichen schützen und hüten soll, macht doch eigentlich nur ängstlich. Wahrhaftig, mittlerweile teilt sie diese Angst ihrer regelmäßig besorgten Töchter und schaut ständig auf den Thermometer. Wäre es nicht besser, ganz besonders für sie, Jahreszeiten noch selbstverständlich zu genießen? Schon dich, schon dich, versprichst du mir das? Und wie brav sie auch heute beim Morgentelefonat wieder JA JA gesagt hat.

Von diesem Gehorsam stammt ihr Grauen ab, wenn sie auf die baumlose, glasig helle Nachmittagsstraße blickt. Natürlich, sie ist alt, eigentlich sehr alt, und sie versucht jetzt ICH BIN SEHR SEHR ALT ICH BIN URALT! zu denken. Aber Töchterchen Melanie ist, wenn man die gleichen Freundlichkeitsscheuklappen wegzerrt, ältlich. Sehr extreme Hitze. Und gewiß kein Vergnügen, nochmals zum Briefkasten zu strampeln. Gesund auch nicht. Und soviel hängt auch nicht davon ab, daß sie sich diesen Ruck gibt, es doch zu tun. Die Kinder wären ja am Abend per Telefon vorzuwarnen: Bitte, nicht böse sein, aber ihr bekommt nun mal morgen eine Drucksache, die gar keine ist, bestimmt müßt ihr ein entsetzliches Strafporto zahlen, aber das ersetze ich euch selbstverständlich.

Sie würden doch höchstens lachen. Sie würden fragen: Aber die Adressen hast du diesmal nicht auch noch verwechselt?

Sachen, die passieren. Diese Art Lachen kennt sie, aber nicht als Genuß. Ihr wird es immer wichtiger, daß sie alltägliche Dinge genau richtig macht. Die Kinder werden in Ferienstimmung sein.

Wie gut sie sich verstehen, zwei Ehepaare, Töchter und Schwiegersöhne. Wenn die mal so alt sind wie ich, können sie falsch machen, was sie wollen, keiner ist da, der dafür Zensuren austeilt: das denkt sie zum allerersten Mal und hört auch sofort wieder damit auf. Über Post von mir soll man sich freuen können, findet sie jetzt. Und es handelt sich bei dem Album um so richtige Ferienpost. Sie hat so viele Photos von Strandszenen ganz lang vergangener Zeiten gefunden. Früher sagte man noch SOMMERFRISCHE dazu. Melanie und Bärbel als kleine behagliche Kinder, mit versunkenen und gemütlichen Körperchen, und sie selber mit dem Vater im Strandkorb. Sie sollen doch wissen, daß sie mir nicht das Herz damit schwer machen, wenn sie es jetzt allein schaffen, gegen den Wind zu gehen.

Jetzt bricht sie lieber auf. Die schwergewichtige Postsache ist als Begrüßung am Ferienort gedacht, und mit einer Begrüßung muß wirklich alles stimmen. Es ist doch kein so lustiges Willkommen, wenn gleich bei der Ankunft vor der Rezeptionsschranke Münzen fürs Strafporto zusammengekratzt werden müssen. So ein vertrotteltes Altchen, altes Mütterchen, mit ungenügender Hirndurchblutung, sommerbetäubt, hitzeverträumt, so ein sanft ermahntes Belustigungsfrauchen, Anlaß fürsorglicher Ermahnung, liebevoller Schimpf und Schande: oh wie ungern ist sie das, doch immer mal wieder.

Nein, nicht den Strohhut! Obwohl sie noch die aufgeregten Stimmen ihrer Töchter hört: Er steht dir doch gut! An Fastnacht sahst du so wundervoll damit aus! Schütz dich vor der Sonne! Seit die junge Frau Gerber, Nachbarin zur Linken, SIE SEHEN JA RICHTIG SÜSS AUS über die ganze Straße weg gerufen hat, möchte sie überhaupt nicht mehr auffallen. Was hat sie nur damals angehabt? Vor allem RICHTIG SÜSS möchte sie niemals aussehen. Es macht nur ganz gelegentlich Spaß, zu jemandem zu sagen, und zwar ein bißchen abfällig, geheimnisvoll tuend aber auch, als weihe man ihn ein, als handle es sich um ein leicht anstößiges Vertrauen, in das man jemanden ziehe: Stellen Sie sich vor: Achtzig Jahre! Ich bin tatsächlich seit dem 7. Februar schon achtzig Jahre alt! Und IST ES NICHT SCHRECKLICH konnte man immer dann hinzufügen, wenn eben so ein günstiger Moment einen frei- und seligsprach und schützte, weil die Antworten gewiß waren: Aber gar nicht, es ist nicht schrecklich, es ist ganz und gar erstaunlich. Mindestens zehn Jahre weniger und ich hätte Ihnen fast geglaubt. Unsere Mutter ist überhaupt nicht der Typ, dem dieser zeitgenössische Jugendfetischismus zu schaffen macht. Sie hat es nie drauf angelegt, sich jünger zu machen, doch, doch, in gewisser Weise handelt es sich bei ihr sicher um ein glückliches Naturell, beneidenswert. Daran glauben ihre Töchter auch nur Fremden gegenüber.

So nützlich der Strohhut wäre, der geht nur an Tagen mit Schutzengel. Heut ist keiner. Ihr Schutzengel der letzten Jahre hat immer mehr Ähnlichkeit mit einer Art Spaßvogel. Er sorgt für gute Laune. Ach, diese neuen Gnädigkeiten! Wenn sie sich geltend machen, dann verhüten sie solche Mißgeschickstücken und Unordentlichkeiten wie falsches Frankieren, Angst vorm Strafporto für die Kinder, offenbarte Ältlichkeiten.

Wie kommt es nur, daß sie sich vorm Postler nicht geniert? Sie paßt ihn ja nicht zum ersten Mal auf diese Weise ab. Sie hält sich im Schatten, tut so, als handle es sich um freiwilliges Hin- und Hergehen, fühlt sich aber beobachtet und verfällt immer wieder in einen zu schnellen Schritt-rhythmus. Sie wartet und wartet. Es ist wirklich viel zu heiß draußen, aber sie bereut es nicht, daß sie das Haus doch verlassen hat. Daß der stark verspätete, gleichmütige Postler sich ein bißchen über sie wundert, macht ihr gar nichts aus: Wie kommt das? Er ist geduldig, das Album wird gefunden. Sie nimmt es wieder mit, sie wird es morgen, reichlich frankiert, solang es noch kühl ist, zum zweiten Mal auf den Weg bringen. Die Sache mit der Begrüßung am Ferienort kann ja, bei Glück mit der Zustellung, doch noch gelingen. Es wird doch nett für die Kinder sein, mit dem Album als Beweismaterial: sie findet es also ganz ehrlich am vernünftigsten, einer angedeuteten Einladung, mitzufahren, widerstanden zu haben. Wie kommt es, daß sie sich vor ihren Kindern geniert, nicht aber vorm Postler? So daß noch nicht feststeht, ob sie ihnen, und dann nur mehr so zum Lachen, Strafporto muß ja nicht mehr gezahlt werden, nachträglich von ihrem kleinen hitzigen schußligen Abenteuer erzählt.

Es wäre mir zu peinlich gewesen, sagt sie. Es ging nicht um die paar Mark, obwohl auch das nicht angenehm ist, oder?

Ach du Armes, du Liebes, Gutes, dort eine halbe Stunde in der Gluthitze, hört sie.

Das Album mit den Kinderszenen ist pünktlich angekommen. Jede Haltung der ganz zufriedenen abgerundeten Körperchen, auf bräunlichen Photographien, sind einst von ihr ermöglicht worden. Das Album hat kein Strafporto gekostet. Es wiegt, wie unfrankierbar so schwer, in den Händen der Töchter. Da, auf diesem Bildchen, da hat sie uns nach dem Baden abgetrocknet, uns, und keinen andern, keinen Postler, keinen, vor dem sie sich nicht geniert. Eine gute Idee, uns das Album zu schicken! Du hattest wohl doch recht, lieber nicht mit hierherzukommen, diese Wucht der Erinnerungen, verstehst du? hört sie.

Ich verstehe euch nicht besonders gut, sagt sie. Man könnte meinen, das wäre die Brandung, im Hintergrund. Jetzt lachen die Töchter, endlich, und das hört sie, und etwas künstlich hört es sich auch an, wie alles durchs Telefon.

Mutter, Mutter, daß du vor uns, aber nicht vor der schrecklichen Julisonne Angst gehabt hast! Ein so furchtbar hohes Strafporto können wir wahrhaftig nie abzahlen, hört sie nicht.

Jeder Dritte stirbt an Krebs

Bei kaltem und regnerischem Wetter kann man sie am
besten beobachten, diese beiden Nymphchen, die zwei
Sylphchen, wie sie, gleichfarbig blaß, über den auch
blassen Sand rennen, die etwas Kleinere voraus, der Grö-
ßenunterschied gibt sich bald, weil sie so rasch sind und
sich schnell entfernen, dann weiß man aber immer noch,
daß die mit der Badekappe die etwas Größere ist. Sie
zögert auch ein bißchen länger beim Eintritt ins aschfahle
Meer. Die andere besitzt den Mut derer, die prahlen
wollen und von einem Partner, der ganz und gar ehrlich ist,
immer profitieren. Schau her, ich bin schon drin, wie
schnell ich doch immer mache mit der Überwindung. Jetzt
ziehen sie dort im Wasser ihre drollige Ballettnummer ab.
Gute Geschwister spielen so miteinander. Schwestern, die
einander liebhaben, sorgen sich so, eine um die andere, und
es bedarf gar keiner Aufsichtsperson, nicht einmal dann,
wenn sie das Todesspielchen machen. Man kann das von
hier oben am Dünenrand aus observieren. Wenn die zwei
Brandungstänzerinnen nämlich auf diese Weise sich anein-
anderducken und ihre Arme erkennbar werden als vorge-
streckt, deutend ins Meer, dann kennt man auch ihren
Dialog, sie rufen sich zu: Siehst du nicht, dort, das Wasser
lockt! Komm, komm, in die Tiefe! Was zögern wir noch,
wozu es aufschieben, warum denn nicht ertrinken!
Sie wirken sehr ledig, alle beide, nur miteinander liiert.
Nehmen wir jetzt mal das Einauge zur Unterstützung. Die
zwei Männer vom Strandhaus Nr. 36 benutzen so ein
monokulares Fernglas. In der Vergrößerung erkennt man,
daß die Schwestern doch keine Kinder mehr sind. Ab und

zu scheinen die beiden Männer in den Liegestühlen sich dessen vergewissern zu wollen. Sie haben sich warm eingewickelt in Badetücher, Bademäntel, Strickjacken, nachher werden sie diese Umhüllungen opfern müssen, denn die Kindheitsspielerinnen, naß und frierend zurückgekehrt, atemlos und glücklich blau gefleckt, wollen abgetrocknet und gewärmt werden.

Hungrig sind sie auch. Früher bekamen wir sofort Butterbrötchen von der Mutter. Wo gibt es was zu essen? Mir kommt es aber so vor, als wäre den beiden verschwörerischen, furchtbar viel lachenden Schwestern da in der dunklen Strandhütte die Geneverflasche unentbehrlicher als das Graham-Gouda-Sandwich, mit dem der eine der beiden Männer die etwas Kleinere, die etwas Angeberische füttern will. Das ist der Fürsorgliche von den beiden Männern. Früher kam er immer mit ans Wasser hinunter, in einer hühnerhirtenhaften Weise; wächtermäßig, behütend, schritt er die Bannmeile ab, das Wellengebiet ihrer Hüpfkünste und ihres Geschreis, und hingeschaut hat er dann ganz selten. Hier wäre jeder Schutz vergeblich. Der Fürsorgliche bleibt mittlerweile beim eher Gelassenen vor Nr. 36 im Liegestuhl liegen, und es genügt ihm, von Zeit zu Zeit die Geschwister im runden Glasbild wie in einem winzigen Film zu sehen, wenn er das Einauge von einer Vogelgruppe oder einem Boot oder einfach nur von wellblechrilligem Wellengang abwendet und diese zierlichen Liebenden sucht, dann erfaßt. Sie wirken, durchs Einauge, unerreichbar, wie in äußerster Einsamkeit. Nur noch, daß sie sich im zwergenartigen Medaillon immerhin bewegen, macht Mut: aber so stumm, so stumm. Und man sieht ihnen doch an, daß sie sprechen. Ja, sie schreien sogar. Es ist ungeheuerlich ausländisch, Zuruf für Zuruf, schrecklich unverstehbar schön, ihr Gelächter, ihre Stoßseufzer.

Der Gelassene liest eigentlich immer wieder die Seite 93 in diesem dicken Narzißmus-Buch. Der Fürsorgliche beruhigt sich bei dem Eindruck, daß ein Ruderboot, auf die Fernglasweise in seiner Gegenwart ertappt, ebenso unausweichlich vereinsamt wirkt wie die zwei Nymphchen, die Sylvie, die Elfie: anders kann man sie nicht gut taufen. Was diese vier Personen eigentlich miteinander zu tun haben, ist schwer zu sagen. Handelt es sich bei den Männern in den Liegestühlen um Aufseher? Um Bewährungshelfer? Genießen die Schwestern – die Kindheit haben sie hinter sich, sobald sie das Meer verlassen – so etwas Ähnliches wie Ferien von einer Klinik? Oder dient ihr Treiben am Strand einem erhofften Genesungsprozeß, ist das jetzt die Therapie, die Klinik im Freien? Sind das nun Straftäterinnen oder zwei freundlich Irrsinnige? Man bekommt das nicht so leicht heraus, und ich vermute, bis zum Ende meines Aufenthalts hier an der Küste wird mir das nicht glücken.

Aber bei jedem dritten Abendessen im Hotel fallen die Sylvie und die Elfie mir unweigerlich wieder ein. Mit ihren sandfarbenen Badeanzügen über blasser Haut gleichen nämlich die Sylvie und die Elfie den schwachgebratenen halben Hühnchen, die in diesem Sommer wahrhaftig dreimal pro Woche im Prins Hendrik serviert werden. Ich fürchte mich jedesmal ein bißchen vor unseren abgegessenen Tellern. Die halben Hühnchen erinnern nämlich auch als knöchelschwächliche Scherbenhäufchen noch immer an die beiden Wassergeschöpfe.

Achtung, Welle! ruft die eine der andern zu. Also liegt gewiß keine noch so gut gemeinte Mordabsicht vor. Ich liebe meine Schwester, sagt die andere ständig vor sich hin. Das macht doch nichts, reg dich doch nicht auf, das ist ja schön so, redet der Fürsorgliche auf die etwas Kleinere ein.

Ich liebe meine Schwester so sehr! Der Monolog der etwas Kleineren hört sich wie ein Gebettel an.

Ja, diese vier haben sich plötzlich ziemlich eindeutig in zwei Paare nach der herkömmlichen Schichtung arrangiert. Könnte es halt doch sein, daß sie identisch sind mit den richtig angezogenen, auch wohl voll erwachsenen vier Personen, die einen Nachmittagsspaziergang machen? Die etwas Kleinere wirkt jetzt so verblüffend ruhig, wie eingeschläfert, sie ist geradezu aufgequollen vom Wunsch, es dem Fürsorglichen recht zu machen.

Eine Spur neidisch sieht sie gelegentlich aus, wenn die etwas Größere, die zum Gelassenen gehört, sich nicht zügelt, wenn sie, weil es den Gelassenen nicht beunruhigt, einen Spaziergangsrausch erlebt und vorausläuft: das war doch in der Kindheit der Part der etwas Kleineren. Nun aber darf die etwas Größere alles Unvernünftige nachholen. Der Gelassene scheint beruflich etwas davon zu haben, denn bisweilen macht er sich eine Notiz. Die ganze Existenz der Größeren, hier in Freiheit – und diese Freiheit allein bleibt es, die als eine aufs äußerste kostbare Angelegenheit auf einen Wahnsinn hindeutet, der dem Zusammensein der vier in der oder jener Paarung innewohnt – hier in der kurz bemessenen Gnadenfrist, jede Regung der nachmittags von keiner Badekappe Unterschiedenen, dient dem Gelassenen zu einer neuen Erkenntnis in Sachen Angstlust. Sie streckt die Angstlustärmchen, die morgens aus der Brandung geragt haben, am Abend immer noch in die Richtung irgendeines Wanderziels: Wir könnten zum Abschlußdeich fahren, dort laufen und den Vollmond anschauen! Die etwas Kleinere spürt genau denselben Wunsch, spielt aber die Blasierte: für den Gelassenen. Ach, Vollmond! Hatten wir den nicht schon mal? Sie spielt dann für den Fürsorglichen: Es ist schon spät, so herrlich das ja wäre mit dem Vollmond. Wir könnten vom Balkon aus versuchen, den Andromedanebel zu finden.

Firmament ist ein schönes Wort. Himmelszelt auch. Milchstraße ist am allerschönsten. Schon wieder handelt es sich um Angstlust, als die jederzeit einen Rausch Auskostende, die keiner Erlaubnis bedarf, sich ohne Rücksicht auf ihre Schwindligkeit den Kopf nach sämtlichen Galaxien verdreht. Der Gelassene aber wollte doch im Narziß-mus-Thema weiterkommen und braucht eigentlich zum Stichwort Angstlust nichts Neues. Die etwas Kleinere weist ihre Schwester darauf hin. Ich bin sicher, daß das aus Eifersucht geschieht.

Überhaupt fange ich an zu vermuten, daß diese vier Leute auf eine übliche Weise zusammengehören. Vielleicht habe ich mich einfach an ihr Treiben gewöhnt. Es kommt mir nicht mehr so eigenartig vor, daß die etwas Größere immer nur Unkraut fotografiert: aus nächster Nähe. Am Fürsorglichen wirkt mit der Zeit auch ziemlich normal, wie sehr ihn, jedoch nicht bis zur Aufgeregtheit, die weniger dünnen, weniger schrulligen, weniger vögelchengleichen weiblichen Körper an einem Strand interessieren, sofern, bei sonnigem Wetter, Frauen halbnackt auftauchen. Immer wenn der Fürsorgliche einer Frau beim Ausziehen zusieht, fängt er an zu pfeifen, während der Gelassene gar nicht höflich zu sein beabsichtigt, also keinen Gleichmut simuliert, so wie der Fürsorgliche das macht; ausgerechnet der Gelassene erbittet vom Fürsorglichen das Einauge für eine Nahaufnahme und schaut dann dem so gewonnenen weiblichen Körper ruhig zu, ohne Kränkungsabsicht, aber wie im Vollzug einer Entschädigung. Die etwas Größere wird in solchen Augenblicken in eine Kindertantenhaftigkeit gedrängt, und auch dieses Spiel macht ihr Spaß, mit ein wenig Seufzen, Kopfschütteln, Weglegen vom Narzißmusbuch, bis der Gelassene mit dem Einaugenschein fertig ist. Der Fürsorgliche hat viel dagegen, sich so unverkrampft zu benehmen. Manchmal muß ich aufhören, den Fürsorglichen zu betrachten: als könne er sterben, unter so viel Liebesblick, Druckausübung. Herzstillstand, mein Gewicht des Gernhabens zerquetscht den Fürsorglichen. Ebenso in Not geraten schaue ich weg vom Schwesterchen, ab und zu ganz plötzlich. Und auch der Gelassene, einfach mitten in gerade noch ruhiger Beobachtung, jagt mir diese Angst um sein bißchen Leben ein.

Gibt es bisweilen Streit? Wir sind ja fast unaufhörlich zusammen, also wäre das kein Wunder. Unsere Männer, unsere besten und lebenslänglichen Zuschauer, fechten beim Abendessen, wenn die Mahlzeit nicht gut genug ist, kleine, aber ernste Platzhirschkämpfe um den Bewegungsspielraum für ihre Beine unterm Tisch aus. Du und ich, wir müssen dann selbstverständlich wie Tiermütter jeweils unser Junges verteidigen. Wir lieben uns zu sehr, kann schon sein. Wir sind vier. Jeder dritte stirbt an Krebs. Wozu heute das Meerbad beenden! Wir müssen ja doch morgen aufs neue da hinein. Warum trocknen wir uns immer wieder ab. Warum bereiten wir uns mit Graham-Gouda-Broten auf einen langen Tag vor, wie kommt es, daß wir nicht die Geduld verlieren? Wir finden es sogar wichtig, den Gelassenen zu trösten – obwohl wir doch nicht immer und ewig leben werden. Der Gelassene, vor Ungeduld nach dem Kellner und einer Portion Zucker schnalzend, ist vom Kellner gekränkt worden. Der Kellner hat vergessen, daß der Schnalzende als Gast König ist und bleibt, auch wenn er ungehörig schnalzt und hiermit gegen die Landessitte verstößt. Der schnalzende Gelassene hat sich viel weniger aufgeregt als wir drei anderen, einer von uns stirbt vielleicht, ganz sicher sterben aber wir alle vier, und bis auf den Gelassenen haben wir das Hotel und das Land verlassen wollen.

Während der Tischzeiten abends im Prins-Hendrik-Rondell kann man die etwas Größere als die Eingezwängte und die etwas Kleinere als die Ausgepackte bezeichnen. Beide sind sie, so gegen die Natur angezogen, die Falschverpackten. Der Fürsorgliche könnte gut auch der Gebräunte heißen, der schnalzende Gelassene wird in meinem Innern der Gekränkte genannt, egal, wie wenig die Ungeschicklichkeit des Kellners und die Fadenscheinigkeit unseres Trostes ihn berührt haben.

Ich dachte an Albert Einsteins Art, erst recht religiös zu sein, und hielt es für vernünftig, dein kaltes Körperchen bei der nassen Schulter unter die Welle zu drücken. Und trotz Einsteins Vergeblichkeit glaubte ich, der liebe Gott müsse persönlich sein, sonst hätte ich doch nicht weinen können, oder wie? Sonst wäre mein Heimweh doch nicht und dein Todesgesichtchen doch nicht und alle unsere Spiele, die würden uns doch als ein viel zu großer, viel zu überanstrengender Aufwand erscheinen, oder nicht? Tiefer ins Meer demnächst, um nach dir rufen zu können, Angstlustschwester, zarter Körper: komm wieder!

Liebe Schwester, was für ein vollendet gelungenes Album hast du uns da geschickt, ein herrliches Dokument unserer schönen kurzen bürgerlichen Ferien. Die Portraits sind so geglückt. Ich denke nur, ich hätte dir mal erlauben sollen, dein kostbares Filmmaterial doch auch auf Unkräuter zu verschwenden.

Ich betrachte die Bilder ohne Inhalt so gern, wirklich. Bei geschlossenen Augen bin ich jetzt wieder dort und dieser riesige Bahnhof ist das Meer und zwischen ständig aus- und einfahrenden Zügen in diesem Ewigkeitsgrollen höre ich deine überraschte, vor Glück und Unglück ratlos lustige Stimme mit dem Ruf hinüber zu mir in der Brandungswelle: Vergiß nicht, wir sind schon so alt! Wir sind schon schrecklich alt, Ausgepacktes, du! Ja, richtig, Eingezwängtes, aber hör nur auf damit und spiel weiter Kindheit, wir wollen endlich alles darüber erfahren. Aber wir sind alt, wir Falschverpackten, Jahrzehnte alt.

Klein und beweglich und zu zweit absolut allein sieht man sie im Minimal-Filmchen des monokularen Fernglases. Noch näher können wir sie nicht zu uns heranholen. Das unbewohnte Meer umgibt sie so folgerichtig, grau waschbrettgerillt und gleichförmig. Etwas an diesem Zustandsbild kann nicht stimmen. Diese Wirklichkeit ist rissig und fehlerhaft. Diese zwei da in der Ferne: sie lachen jetzt völlig haltlos. Der Anfall kommt wie von außen. Das Ganze schaut nach einem Anfall aus, von Meer und von Liebe zum Tod. Lang schon dazusein, wie die beiden Schwestern, immer wieder auch an der Küste, immer wieder unter der Milchstraße, gleichzeitig lebend mit dem entsetzlich betrübten Atomphysiker und mit der furchtbar munteren Hobbygärtnerin, es kann diese beiden da nicht alt gemacht haben. Ihre Kindheit findet gegenwärtig statt. Kein Wunder, daß der Gelassene nun, festgekrallt in die Seite 93, vor Schrecken einen Moment zu schlucken vergißt, dann schnalzt, dann weiterkommt, während der Fürsorgliche, gebräunt, das allzu aufklärerische Einauge von der Bannmeile wegwendet, und falls er jetzt pfeift, dann erblickt er zu aller Nutzen irgendeinen gewöhnlicheren Fall von Leben und Sterben auf der Erde.

Das enttäuschte Kind

Es war in den Pfingstferien und schon furchtbar heiß. Frank kreuzte mit neun anderen Architekten auf einer dieser geschenkten Firmenreisen in Dänemark herum – wahrscheinlich höre ich nie genau genug zu, wenn er mir davon erzählt – und ich konnte ja wirklich hoffen, bis zum Schulbeginn wäre das alles vergessen.

Die Manuela würde sich ja wohl auch hüten, noch irgendwas davon zu erwähnen. Nur, darauf war nicht viel Verlaß. Auf schlechtes Gewissen bei der Manuela. Mir selber lag an jedem einzelnen Nachmittag, der für das Kind fest gebucht war.

Ferien, diese ungeheure Geduldsprobe. Das Kind hatte sich auf die Einladung bei der Manuela wie auf etwas Erlösendes gefreut. Es freut sich nicht wie andere Kinder vernünftig vor sich hin. Ich erkenne bei ihm eine besondere Erscheinungsform der Langeweile leider wieder. Es ist die Art Langeweile, die ich bei mir selber ohne jeden feierlichen Genuß zum Weltekel, zur Lebensverdrießlichkeit herausputze: das ist eine schwarze, angstmachende Verkleidung. In ihr fühle ich mich undankbar und schuldig, ganz verlassen. Geht eine Ansteckung von mir aus? Ich lasse doch das Kind nichts merken, und wenn es mich beobachtet, bin ich künstlich stark beschäftigt. Ich singe vor mich hin, dann merke ich aber, daß ich eine Gilbert-John-Musik singe, und mit schlechtem Gewissen höre ich auf. Das Kind schaut von mir weg, als habe es mich bei einem Ehebruch nicht länger ertappen wollen.

Auch ich muß also darauf achten, daß ich Pläne habe, und für diesen Nachmittag hatte ich einen. Und was für einen!

Zum allerersten Mal käme abends Gilbert John zu Besuch in unsere Wohnung. Frank macht es seit langem nichts mehr aus, daß ich ein Gilbert-John-Fan bin, wir nennen es so salopp FAN, den Fanatismus vergißt man dann wie von selber. Frank freut es im Gegenteil, wenn er sich bloß oberflächlich prüft.

Nur weil ich nie in meinem Leben mehr das verkniffene Gesichtchen vom enttäuschten Kind sehen wollte, beschloß ich zu lügen, noch mitten im Telefonat mit der Manuela, die leiernd und ganz reuelos ihre Einladung rückgängig machte. Es war mir schwindlig, richtig übel, als hätte ich mir den Magen verdorben. Das verfrühte Sommerwetter wirkte mit. Die ersten Hitzewellen eines Jahres setzen mir immer zu. Auch das innere Programm für den Abend mit Gilbert John machte mir zu schaffen, ich wußte noch immer nicht genau, ob ich ihm Steaks braten oder Hühnchen vorsetzen würde, und jetzt stand plötzlich auch das Kind im Zimmer, sah vorsorglich zu mir herüber, blaß sonnenermüdet, eines Schutzengels bedürftig. Es schien zu wissen, mit wem ich telefonierte und worum es dabei ging. Da glückte es mir und ich redete mit einem Gleichmut, der den von Kindern wie Manuela sehr gut imitierte.

Alles klar, sagte ich in Manuelas Sprache.

Die Carol soll also nicht kommen, okay? Weil, ich hab die ganze Party abgeblasen, okay, sagte die Manuela.

Mir fiel in ihrer bayerisch-amerikanischen Fremdsprache nichts ein. Ich sagte:

Davon geht ja die Welt nicht unter.

Was ist? Bitte?

Reg dich nicht auf, sagte ich, aber die Manuela hatte sich nicht aufgeregt.

Wir riefen uns noch ein paar OKAY zu, und als ich mich dann auch noch mit BYE BYE verabschiedete, empfand meine Unterwürfigkeit als eine Kopie von der des Kindes. Ich schrumpfte, wie das Carolinchen, zu einem Opfer des Begehrens, von der Manuela anerkannt zu werden.

Es tut ihr so gräßlich leid, aber ihre Mutter ist krank oder so was, jedenfalls muß sie die ganze Einladung ausfallen lassen, erklärte ich dem Kind.

Vielleicht hat das Kind mich erst dann argwöhnisch angeblickt, als ich hinzufügte: Das betrifft also gar nicht nur dich allein. Den andern hat die Manuela ja auch absagen müssen.

Das ist jetzt schade, sagte ich, sei trotzdem nicht traurig, ja?

Ich bin doch nicht traurig, sagte das Kind, aber schade ist es.

* * *

Ich dachte, auf meiner Fahrt nach Nürnberg, wie gut Clara damit zurechtkommt, ein Idol ehelich zu verwalten, mich also. Aber ihr Gesichtsausdruck hat mir nicht gefallen, als ich ihr sagte:

Dann werde ich eben an diesem freien 3. Juni endlich ihrem Gedrängel nachgeben und bei ihr in der Wohnung zu Abend essen. Sie will irgendwas Besonderes kochen, falls das nicht schiefgeht.

Wessen Gedrängel denn?

Na, wer wird's schon sein, die in Nürnberg nach mir auf der Lauer liegt, hm?

Wie soll ich das alles auswendig behalten.

Was für ein künstlich argloses Frageduett! Hätte es sich, im Fall von Dorothee Biehl, Leni Sauer, Ingrid Stephan, Ludmilla Ehrlich, im Fall von Stuttgart, Mannheim, Kiel, Hannover auch ergeben? Ich habe jetzt nur die leidenschaftlicheren unter den mir ergebenen unglücklich-glücklichen Frauen aufgezählt, nur die Verfasserinnen intelligenter Briefe, und unter ihnen außerdem nur diejenigen, die in gastspielfähigen Städten leben.

Wird denn ihr Mann zu Haus sein? Ich meine, wird es ihm recht sein, daß du zu Besuch kommst? fragte mich Clara, der Pias Sonderstatus nicht fremd ist. Pia Freund kenne ich am längsten. Sie regt sich am originellsten über mich auf. Was geradezu selbstverständlich dieser Ehe fehlt, das sind Beunruhigung, Ekstase, Sensationen, nur weiß Pia überhaupt nicht, solche Abstinenz zu schätzen.

Wer bestimmt zu Haus sein wird, das ist ihr Kind, sagte ich. Die Pia Freund hat doch einen kleinen Sohn.

Den Fehler hatte ich absichtlich gemacht, zu Claras Beschwichtigung, und sie korrigierte mich sofort in unschuldigem Frieden:

Du bist vergeßlich: es ist eine kleine Tochter.

Ach so? Stimmt ja, das Katharinchen, oder?

Das Carolinchen, sagte Clara.

Ich habe meine Frau immer so besonders lieb, wenn sie meine Diplomatie nicht durchschaut und eben deshalb von ihr profitiert. Ich weiß, daß das durchaus Untreue ist. Doch belade ich ja nur mich selber mit Schuld. Clara bleibt verschont. Regelrecht Ehebrecherisches hatte ich nicht im Sinn, bei diesem Abschied, vor dieser Ankunft.

* * *

Ich wurde ärgerlich über seinen Kummer: Enttäuschtes Kind, komm, lenk mich doch nicht ab, paß auf, daß du mich nicht grob machst: ich flehte wütend vor mich hin und wünschte doch, mich endlich auf die Wohnung zu konzentrieren: wie sähe alles aus in den Augen von Gilbert John? Es durfte nicht mitleiderregend sein. Wir besitzen schöne Dinge. Ich hatte aber nichts mehr plötzlich so richtig von Herzen gern.

Wie wär's, wenn du mit dem kleinen Udo spieltest, fragte ich.

Das ginge vielleicht, sagte das Kind.

Es war so höflich und so förmlich zu mir. Dadurch fühlte ich mich wieder sehr erwischt, wieder als Verräter. Indem ich ein paar Gegenstände umgruppierte, machte ich dem Carolinchen die Welt unserer kleinen Familie unsicher. Es wirkte schlapp und wie gelähmt.

Du hättest hundert Sachen zu tun, sagte ich. Du mußt nur mal einen einzigen Entschluß fassen, das ist schon alles.

Nun setzte das Carolinchen sich ans Klavier, es stellte sein Bach-Präludium auf dem Notenständer zurecht, aber dann wagte es nicht, mit den Fingern in den Tasten auch nur ein einziges Geräusch zu verursachen. Ach, Nachmittage! Es sind meine eigenen Schwierigkeiten, die ich beim Kind mit Entsetzen wiedererkenne. Ich wäre bereit, das Dreifache mit meinen Vormittagen anzufangen, wenn ich dafür die Nachmittage ganz aus meiner Laufbahn streichen könnte. Abende gehen wieder. Aber um heute war es schade. Ich fühlte mich müde und erhitzt, ehe überhaupt irgend etwas getan war.

Der kleine Udo spielt wieder Weltmeer mit den Schnekken, sagte ich zum Carolinchen.

Mit den Eltern von Udo Winter kommen Frank und ich gut aus. Es trifft sich so, daß ich nicht um ihretwillen den gemeinsamen Vorhof respektiere, wenn der kleine Udo die Nacktschneckenjahreszeit für seine stummen Spiele nutzt. Wir nehmen freiwillig den Hintereingang. Gewiß, das verliefe wohl weniger reibungslos, wäre da nicht diese gleichmäßig interessierte Hingabe beim Carolinchen, das den kleinen Udo liebt wie einen letzten Ausweg. Ihr Fluchtpunkt.

Gut, geh ich mal runter, sagte das Carolinchen, aber dann

blieb es doch bei mir in der Küche stehen, und ich fing an, den Endiviensalatkopf zu zerpflücken, ein still-sinnloser Vorgang, in meinem Gedächtnis versickerte der Texteinfall für ein Gilbert-John-Lied: ich hatte ihn damit verblüffen wollen. Aus, vorbei. Der Einfall war gestrichen. Es blieb trotzdem bei einem Unrecht gegenüber meinem Kind.

* * *

Viel zu heiß für die Jahreszeit nun auch in Nürnberg. Mir paßte es ja von vornherein nicht besonders, daß diese Frau, deren Passion ich war, am Telefon zwar jetzt ihre große Nervosität erwähnt hatte, dann aber durchblicken ließ, sie brauche nun erst einmal ein Mittagsschläfchen. Ich hatte gehofft, ich könne sie abweisen. Ich rechnete mit meinem Satz, so von der Art: Nein, nein, drei Uhr geht noch nicht so gut, aber fünf, oder meinetwegen auch schon vier Uhr . . . Ich zog sie mit ihrem Mittagsschlafbedürfnis auf, blieb aber gekränkt:
Wie soll man das verstehen! Wie kann jemand sehr aufgeregt sein und doch einen Mittagsschlaf machen! Beides gleichzeitig?
Meinen Mittagsschlaf brauche ich immer, sagte sie.
Es ist mir noch nie gelungen, in Nürnberg mit einem Hotelzimmer zufrieden zu sein, und daran lag es sicherlich auch, daß ich diese eigenartige Frau wieder verspottete. Ich hätte mich wirklich gern so bald wie möglich von ihr aus diesem warmen muffigen Kerker herausholen lassen.
Ich müßte noch klären, was es zu essen geben soll, sagte sie. Haben Sie da besondere Wünsche?
Ich fand sie reichlich souverän, immer weiter. Warum behagte mir das nicht? Weil ich dadurch zum Tolpatsch wurde. Einer von uns beiden mußte den Part Verwirrung,

Verlegenheit übernehmen. Nun war ich das, es hätte aber besser zu ihr gepaßt. Zu ihr als der Huldigenden. Wer verehrte denn wen, war wem hinterher? Wünsche für ihre Küche fielen mir nicht ein.

* * *

So ein verkniffenes Gesicht steht dir furchtbar schlecht, hatte ich zum Carolinchen gesagt, und das warf ich mir dann unentwegt vor. Es verdarb mir die gesamte Mittagszeit, nur zu plausibel, daß daraufhin auch kein Mittagsschlaf zustande kam. Ich weiß, daß mein Kind jetzt schon ziemlich eitel ist. Auch das hat es von mir. Um pure Affigkeit handelt es sich dabei gar nicht. Das Kind muß sich, ganz so wie ich darauf angewiesen bin, mit seinem äußeren Erscheinungsbild in einem Einklang befinden. Und das glückt ihm sogar, wenn es andere nachahmt. Zu meinem Kind würde eine etwas altmodische Aufmachung gut passen, aber selbstverständlich sehe ich ein, daß, wie die Manuela und die anderen aus der Clique Sweat-Shirts und so Zeug zu tragen, einem Gebot gleichkommt. Mein unvorteilhaft aussehendes Carolinchen fühlt sich darin gebrauchsfähiger.

Gilbert John wirkte am Telefon so mit sich selbst beschäftigt, und weil es ihm egal zu sein schien, was es zu essen gäbe, entschied ich mich gegen alles Komplizierte und für die Vorräte in Speisekämmerchen, Tiefkühlfach, und von da an, bei aussichtsloser Lage in bezug auf einen Mittagsschlaf, war ich bereit, Wiedergutmachungsarbeit fürs Kind zu leisten.

Gehen wir doch mal ins Vivarium, was meinst du? Wir wollten doch längst mal hin, hm?

Mußt du nichts mehr einkaufen, für den Sänger heut abend? fragte das Carolinchen.

Ich brauch' nichts mehr, ich mach uns dreien ein Kinderessen, sagte ich.

Hühnchen? fragte das Carolinchen.

Hühnchen und Salat und Pommes frites gelten als unser Kinderessen, Rühreier auch, aber mit den Hühnchen hatte das Kind schon die etwas erwachsenere Nuance, die hier auch angebracht war, gewittert.

Ach, gut gewählt, richtig entschieden: mein Kind sah plötzlich so erwartungsvoll und zufrieden aus, es wußte sich auf seinem Stammplatz im Leben, und dieser Platz befindet sich in der allerersten Reihe, oder in der allerbesten Loge, ich betone das so in meinem Innern, weil ich selber um diesen ausgewählten Vorzugsplatz fürs Kind ja kämpfe, Schlange stehe, vorbestelle, bettle und so weiter, und Frank, mein Mann, der Vater meines Kindes, er ist es leider nicht, den ich von diesem Platz verdrängen muß. Wer denn nur aber! Keiner, eigentlich.

* * *

Es ist schon erstaunlich, daß ich diese Frau dort in derselben Stadt, in einer anderen Gegend der Stadt, unter der von mir seit Jahren benutzten Adresse gleich nach dem ersten Telefonat noch einmal erreichen wollte. Es gefiel mir nicht an mir selber. Ich fühlte mich zerlöchert und unselbständig, gleichzeitig schlecht verwahrt, falsch einquartiert. Und sie kam dann nicht einmal an den Apparat. Nach der Gnadenfrist für ihren verflucht kaltblütigen Mittagsschlaf habe ich sie wieder nicht erreicht. Möglich, daß sie ja nun ihre Einkäufe für mich erledigte. Mir war nach einem kleinen Kontakt mit Clara zumute, ich verbot mir aber diese Schwäche, die falsch und somit richtig ausgelegt würde. Im allgemeinen läßt mich die Unterwürfigkeit meiner meistens glücklosen Verehrerinnen in völliger. Ruhe. Ich glaube, ich interpretiere meine Nervosität da schon ganz schlüssig: etwas wirklich Vernünftiges in mir wandte sich doch noch immer gegen das, was bevorstand und als zu viel Einlassung zu weit ging. Auf kleiner guter nutzbringender Flamme sollte ich sie schon alle halten, diese inspirierend züngelnden Liebessüppchen, die sie da für mich kochen auf ihren einsamen Feuerstellen, eheabgewandt. Aber die Realität ist immer enttäuschend. Ein Versager im Wettbewerb mit den Hoffnungen und Wünschen und Phantasien, deren Umgang ausgerechnet ja meine Nürnberger Fanatikerin so perfekt handhabt.

Gerade wollte ich das kerkermäßige Zimmer 105 verlassen, ein bißchen durchs angrenzende Quartier streifen, vielleicht bei einem Blumenstand die Lage nochmals überdenken, notfalls eben doch ein paar Dahlien – ich dachte an so was Ländliches – erstehen, notfalls könnte ich die Dahlien – eigentlich kenne ich mich nicht aus und es kann sein, daß es nicht Dahlien sind, die mir da vorschweben – irgendwo sonst lassen, im Zimmer 105, beim Etagenmädchen, ganz egal, ich bleibe frei in meinen Entscheidungen, also: gerade wollte ich weg, da klingelte das Telefon und ich hörte die wiederum zu unbesorgte Stimme:

Gut, Sie zu erwischen. Ich störe Sie doch nicht?

Ich kriege ganz gut einen zerstreuten Tonfall hin, gab mich also wie nur halb bei der Sache, beiläufig. Warum schwitzte ich denn sofort? Aber darauf, daß sie mich um zwei Stunden zurück, später in den Tageslauf verschob, war ich zwar nicht gefaßt, konnte aber geradezu bleiern reagieren. Oder: aalglatt. Steinhart. Glasklar. Während ich wie der jämmerlichste Anfänger beleidigt war. Ich kann mich an keine Frau erinnern, die mich jemals so überrascht hat und auf die ich mit so viel Wucht von gekränktem Stolz reagiert habe. Kann einzig und allein an Nürnberg und am verkehrten Hotelzimmer gelegen haben.

* * *

Da erkannte ich, zwischen dem Freilandgehege für die Wildkaninchen und dem Affenhaus, die Manuela. Die anderen Kinder als bekannt zu registrieren, konnte ich mir keine Zeit lassen, denn ich dachte sofort: schnell weg von hier, um die Biegung herum in Richtung Gaststätte, Greifvögel.
Dem Kind habe ich aber angemerkt, daß es seine Clique und die Manuela ebenfalls entdeckt hatte. Es ging jedoch genauso rasch wie ich mit mir und weg von diesem Anblick.
Ich glaube, daß ich vorhin die Manuela gesehen habe, sagte ich, denn ich fand es demütigend, wie wir uns beide, eine der anderen, etwas vorlogen.
Glaub ich nicht, sagte das Carolinchen, ich glaube nicht, daß sie das war, sie sah nur bißchen ähnlich aus.
Ich gab meinem Kind recht. Es schien einem Plan zu folgen. Ich wagte nicht, den zu durchkreuzen. Es hatte auf Grund eines wichtigen Tricks anscheinend ganz recht. Aber daß es nur so tat, als hätte es die wahre, die übliche Lust auf sein sonst überaus hochgeschätztes Vanillesofteis, das ist mir leider nicht entgangen.

* * *

Schön schwer und schön verrückt mit Parfum übergossen hatte sie sich aber! Ich vergab ihr daraufhin viel. Sie sieht übrigens sehr viel besser aus, als ich Clara gegenüber durchblicken lassen werde. Das Auto steuert sie zügig und mit einem erstaunlichen Mut, kann beides, intelligent reden und am Rush-hour-Verkehr fehlerlos teilnehmen, so daß ich, zu stark von ihr beeindruckt und duftumnebelt, mich wieder in eine Ecke für Schwächlinge, Sonderlinge gedrückt fühlte, ich sah mich selber in ihren Augen als zwar liebenswerten, aber mehr doch eines akademisch-neugierigen Erbarmens bedürftigen Nürnberg-Neurotiker, als Hotel-Hypochonder, und hauptsächlich wegen einer Hysterie beim Anpacken freier Abende in einer fremden Stadt schien sie sich meiner anzunehmen, mich zu sich nach Haus zu kutschieren, ja, mir zuliebe geschah es plötzlich, sie asylierte mich, verdammt, wieso glückte es mir nicht, die Dinge zurechtzurücken. Ich war es doch hier, der sich herbeiließ, herabließ, bitten ließ. Mit dem Status eines Beifahrers hat es selbstverständlich ja auch jeweils zu tun, wenn das Gefühl von gönnerhafter Betreuung stört.

Sie fahren genau wie meine Frau, sagte ich, womit ein kleiner erster Schluck im großen, ungewissen Rachedurst immerhin genommen war.

* * *

Als ich Gilbert John endlich im Auto neben mir hatte, somit also an des Tages eigentlichem Ziel angelangt war, stellte sich meine innere Balance wie von selber her. Klar, ich war aufgeregt, animiert, und die schleppenden langweiligen Nöte meiner Kinderpfingstferien los. Doch von der Aktualität zwischen mir und Gilbert John an setzte das ein bei mir, während gleichzeitig der schöne, vitale, der ersehnte Genuß von Gegenwart stattfand: denn dann erst, weil ich schuldig werde, weiß ich, wohin ich gehöre; zum Kind gehöre ich, zu Frank und zu den uninteressanten Einzelheiten meiner wichtigen familiären Rituale. Und, nochmals, gleichzeitig passiert das, daß ich es spannend finde, mit Gilbert John zu reden. Und nur so, gleichzeitig, zieht es mich zurück und weg von ihm. Jetzt liebe ich meinen Mann so richtig, trauernd, Rührung packt mich, ich will dich bald umarmen, dich vorwurfsvoll Gutes erhoffenden kleinen Amateur-Bräutigam von damals. Ach, daß unsere Eltern uns nicht geraten haben: Laßt das doch bleiben, schwarzen Anzug und Brautkleid!

Von Ihren neuesten Liedern bin ich natürlich mal wieder besinnungslos begeistert, sagte ich zu Gilbert John.

* * *

Und dann: derartig viel Respekt für einen Vorhof voller Mollusken! Mir den abzuverlangen! Ich mache mir sowieso nichts aus Nacktschnecken.

Der kleine Udo hat großes Glück in diesem Jahr, sagte sie zu mir, der gezwungen war, sich Schritt für Schritt, taumelnd zwischen verbotenen Territorien, lächerlich zu machen. Denn sonst muß er doch meistens bis Juli warten. Auf die Schnecken warten. Er spielt Weltmeer damit.

Sie hatte mich im Satz davor zwar noch nach meiner neuen Absicht gefragt, immer weniger Autobiographisches in die Liedertexte zu verarbeiten. Jetzt aber zwang sie mich, irgendwas zur ozeanischen Vorhof-Situation zu äußern.

Als größte und ebenfalls ziemlich künstlich wirkende Molluske hockte da so ein abgekapseltes stummes Kind in Versunkenheit. Es schaute nicht zu mir auf. Das andere Kind war ein Mädchen und gab mir die Hand, doch besonders ansprechbar wirkte auch das nicht.

Du bist das Carolinchen, ja? fragte ich.

Ja, das ist sie, sagte seine Mutter.

Die im Gleiten liegengebliebenen, offenbar sehr selten ein Stück weiterkommenden Schnecken unterschiedlicher Größe fingen an, auch mich zu beeindrucken.

Sind die eigentlich echt? fragte ich nicht den kleinen Udo,

sondern ihr Kind, das daraufhin mit dem Kopf nickte, und dann kam ich mir sofort, obwohl kein Grund vorlag, so schauderhaft geschwätzig vor. Ihr habt sie nicht alle vergiftet?

Das Kind schüttelte den Kopf. Diese Art zu lächeln, die tat es mir an. Es blieb ernst dabei, aber etwas Scheues und Erlöstes trat aus seinem Gesicht hervor. Ich wollte nicht nur, um seiner Mutter zu imponieren, im Vorhof bei den Kindern bleiben. Angesichts der Kinder und ihres Welt-meer-Spiels fing das an bei mir mit der Gewißheit meiner Konkurrenzunfähigkeit. Ein ratloser Neid. Die Mutter des kleinen Mädchens war im Irrtum, wenn sie mich als den Originellen, Bezaubernden, Faszinationskraft Ver-strömenden feierte. Daß der Vorhof, über dem die Stille einsam den Atlantik durchpflügender Meeresriesen lagerte – wie auf einer Luftaufnahme aus großer Höhe, vom Flugzeug aus – überhaupt besser nicht mehr von irgend-welchen Erwachsenen betreten werden sollte, leuchtete mir ein. Ich hielt mich aber noch auf mit Fragereien, Anbiederungsversuchen, und wenn auch der kleine Udo sich nicht rührte, so kam mir doch mit immer mehr Lächeln ihre kleine und im Stich gelassene Tochter zu Hilfe.

Man muß Geduld haben, um mitzukriegen, ob sie sich bewegen, oder? Man könnte sich einbilden, sie wären aus Plastik.

Das hier, die da, die sieht mehr wie ein Schleppkahn aus, findest du auch?

Sie streben ihren Bestimmungshäfen zu. Das sieht so aus wie kurz vor Boston, eine halbe Stunde vor der Landung mit dem Flugzeug, wenn man von ganz oben aus dem Himmel gekommen ist und gerührt wird bei der Rückkehr zu den ersten Lebenszeichen auf der Erde. Die Schiffe erregen dann so viel Vertrauen, sie machen den Flugpassagier so stolz. Worauf? Das weiß man auch nicht. Ich denke so oft, wie minimal, ja überhaupt nicht vorhanden mein Anrecht ist, in irgendeinem Flugzeug zu sitzen oder auch nur über eine Brücke zu gehen, eine Plattform zu benutzen, in einem schnellen Zug durch die Landschaft zu fahren. Diese Sätze sagte ich mittlerweile zu ihr, in der Wohnung, entfernt von den Kindern.

Menschen wie ich und wie die meisten, die hätten uns nicht um einen Schritt von der Steinzeit weggebracht. Ja, ich dürfte nicht einmal einen Lichtschalter benutzen.

Sie lachte, war selbstverständlich anderer Ansicht.

Würden Sie denn lieber in einem osteuropäischen Staat leben? Da gelten die Ingenieure mehr, ich glaube wenigstens, als die Künstler. Macht es Ihnen was aus, mich in die Küche zu begleiten?

Vom Küchenfenster aus blickte ich wieder in den Vorhof hinunter. Die Grasbüschel an der westlichen Begrenzung der Steinplatten erinnerten an Ufer.

Das ist die Küste von Neufundland, sagte ich.

* * *

Lieber Frank, ich will nicht untreu sein, aber seine Phantasie, seine Imaginationskraft, seine Kinderszenen-Inbrunst . . . du mußt schon verstehen, daß im Vergleich mit diesem Gilbert John dein Gleichmut als Stumpfheit schlecht wegkommt. Ich haßte mein Bewußtseinsgebet, wirklich, und fühlte mich doch so stark zu Gilbert John gezogen. Er ließ mich auf mein eigenes Kind mit einem ganz neuen, schlagkräftigen Interesse achten. Mir war das weltmeerhafte Gleiten, das ozeanische Ruhen, das Kinder-Schnekken-Treiben insgesamt vorher nie als etwas wirklich Besonderes aufgefallen. Mit viel mehr Schwung als sonst und von seiner Gesellschaft glorifiziert traf ich die Abendessensvorbereitungen. Das Unrecht an meinem Kind, die ganzen Gemeinheiten vom heutigen Tag, Manuela, die Clique, die unerfindliche Feindschaft in der Welt, ich war durch Gilbert John dagegen gewappnet.

* * *

Keine Verlegenheiten von ihr durch mich: es verletzte mich wieder, wie unbeirrt sie am Herd stand, mit ihrem Geschirr hantierte, den Tisch deckte, kaum nervös, guter Laune wie jedermann es wäre an einem zufällig günstigen Tag, nur wußte ich jetzt, woher sie so viel Gegenkraft bezog. Das mußte vom gewöhnlichen Umgang mit dem Kind stammen. Ihr Kind stand plötzlich am Telefon und tat so, als hätte es mit jemandem zu reden: aber keiner hatte es zuvor klingeln gehört. Nach dem, wie ich immer noch vermute, fingierten Telefonat hatte das Kind einen geheimniskrämerischen Gesichtsausdruck. Es gab etwas außerordentlich Wichtiges, das es seiner Mutter nun erzählen mußte. Anschließend sah Pias Freund so merkwürdig aus, fröhlich, ja, aber auch wie von einer Wundertätigkeit erhoben.

* * *

Ich hatte kein Telefonklingeln gehört, Gilbert John auch nicht, aber das kann daran liegen, daß wir beide viel miteinander redeten und lachten. Ich ging immer weiter so gern auf seine sonderbaren Eröffnungen ein. Vom stillen Recht, in dem der kleine Udo sich mit seinen Schnecken-Ozeanriesen befand. Vom stillen Unrecht, in dem einer wie Gilbert John sich lebenslänglich befindet, wenn er als Mitläufer und Nutznießer einen Wasserhahn aufdreht, seine Post in einen Briefkasten wirft. Nun kam, nach Carolinchens rätselhaftem Telefonat, das schönste und geheimnisvollste Recht für mich dazu: das Carolinchen hat mich ins Recht gesetzt. Mich mit meiner Lüge hat es rehabilitiert. Ich habe ja jetzt erst, nachdem der Gilbert-John-Besuch zum Erinnerungsstück verwandelt werden kann – ich weiß noch nicht, welcher Art, nicht zu feierlicher Art, nehme ich mir vor – jetzt erst Zeit, mir über den Vorgang klarzuwerden.

Das war die Manuela, hat das Carolinchen gesagt. Es ging doch auf einmal, daß sie aus dem Haus konnte, und da sind sie und die andern tatsächlich ins Vivarium gegangen. Sie hat vorher immer versucht, mich anzurufen.

* * *

Wie finden Sie so etwas, hat sie mich gefragt, als Abschluß dieser Geschichte. Ihr Kind war versetzt worden. Sie kann Enttäuschung bei ihrem Kind so schlecht aushalten. Es zerreißt sie, macht sie wütend. Ja, wie findest du das, Clara-Liebling, das war unser Hauptthema, ein Kind und seine Gefühle, Kinder überhaupt. Ganz schön erstaunlich, wenn du bedenkst, wie scharf sie auf mich war, oder? Ich war natürlich auch erleichtert, weil es nun Clara gegenüber nichts gab zum Verbergen. Fast nichts. Ich erzählte nichts von meiner Eifersucht den ganzen Abend über. Ich spürte immerzu, daß ich in dem Wettbewerb mit den Erfindungen eines Kindes nur verlieren könnte. Verfluchte Verausgabung, das Ganze. Vor phantasiegelähmter elender Eifersucht, in äußerster Entfernung von guten Schiffs- und Meereseinfällen und Kinderliebestricks zum Schutz einer Mutter, früher Übung in Selbstachtung, vor lauter eigener Unzulänglichkeit als furchtbar erwachsener Sänger, Texter, Künstler, verdammt nutzlos, saß ich bis gegen Mitternacht nicht glücklich bei ihr herum.

* * *

Er ist bis gegen Mitternacht geblieben, habe ich Frank wahrheitsgemäß berichten können, ich brauchte keine halbe Stunde zu unterschlagen, denn der Beistand vom Kind sicherte mich, er machte unsere kleine Familie so stark, so haltbar, und eine Passioniertheit wie die für Gilbert John wirkte nur wie Dekoration, also günstig, farbtupferhaft.

Was mich allerdings gekränkt hat, war Gilbert Johns ablehnende Haltung einer Abschiedsherzlichkeit gegenüber. Ich fühlte mich gefeit genug, meinen Wunsch ganz offen vorzutragen:

Eine Umarmung wäre was Gutes und Richtiges, sagte ich. Darauf nicht einzugehen, war nicht besonders taktvoll.

* * *

Aber ein bißchen autistisch ist es wohl, das Kind der Pia Freund, meinst du nicht? fragte mich Clara aus großer Liebe zu mir.

* * *

Du gehst natürlich immer ein Stück zu weit, aber daß er so ein Berührungsangst-Typ ist, das hätte ich dir gleich sagen können, sagte Frank aus großer Liebe zu mir.

* * *

In seinem Bett, mitten in der Nacht, hat das Kind, aufgewacht, ICH WILL ZURÜCK IN MEINEN TRAUM gedacht.

Inhalt